Divulgación
Actualidad

Shere Hite, investigadora y profesora, es autora de la legendaria serie de libros los *Informes Hite*. Entre sus obras también destacan: *Mujeres y amor*, *Mujeres sobre mujeres*, *Sexo y negocios* y *El orgasmo femenino*, entre otras. Escribe sobre sexualidad en *El País Semanal* y ejerce la docencia en la Nihon University de Japón. «Durante veinte años ha sido abanderada de los derechos de la mujer y en la actualidad es un icono del feminismo», *Elle*.

Philippe Barraud es periodista científico y político reputado. Escribe para el diario *Le Temps* de Génova y ha publicado tres novelas.

Shere Hite
Philippe Barraud
El orgullo de ser mujer

*Todo lo que preguntaría
a Shere Hite sobre sexo*

Traducción de Carmen Martínez Gimeno

ESPASA

La primera edición en castellano de este libro se publicó
en Editorial Espasa Calpe en 2003 bajo el título
Todo lo que preguntaría a Shere Hite sobre sexo.

Éditions Favre, 2002

Título original: *L'Orgueil d'être une femme*

© Shere Hite y Philippe Barraud, 2003
© por la traducción, Carmen Martínez Gimeno
© Espasa Calpe, S. A., 2004
   Vía de las Dos Castillas, 33. Ática, Ed. 4. 28224 Pozuelo de Alarcón (Madrid)

Diseño de la cubierta: Opalworks
Primera edición en Colección Booket: setiembre de 2004

Depósito legal: B. 32.755-2004
ISBN: 84-670-1523-3
Impresión y encuadernación: Litografía Rosés, S. A.
Printed in Spain - Impreso en España

ÍNDICE

PRÓLOGO

UNA NUEVA VISIÓN DE LA SEXUALIDAD

Este libro es una invitación para repensar de arriba abajo la institución llamada sexualidad. Abre la puerta a un nuevo modo de contemplar la sexualidad y el erotismo, del plano individual al político, y además plantea una pregunta esencial: ¿para cuándo la igualdad en la sexualidad? ¿Y a qué cambios conducirá? No es un simple manual de educación sexual, aunque se puede utilizar como tal.

Los trabajos de Shere Hite, fundamentales para comprender nuestra época, jamás han sido objeto de síntesis. En este libro los presentamos en el estilo animado de la conversación. Los voluminosos informes que ha publicado en más de veinte lenguas y que han leído treinta millones de personas, así como las nuevas teorías que desarrolla aquí, han cambiado nuestra vida, y la cambiarán aún más en el futuro.

¿Pero se puede hablar de «las teorías de Shere Hite»? Debido a su coherencia, sería más justo hacerlo de «la Teoría Hite», fundamentada en cerca de treinta años de investigaciones que se apoyan sobre una vasta base documental. A partir de un descubrimiento fundamental —el orgasmo de las mujeres no proviene principalmente de la penetración, sino de la estimulación clitoridiana— dedujo, al hilo de una teoría que se ha ido desarrollando y profundizando con el paso del tiempo, una verdadera cascada de consecuencias que implican tanto la vida de las parejas como la organización social, la educación de los niños y las niñas, la sexualidad de los hombres, las estructuras políticas y las de la familia. No es exagerado hablar de un nuevo paradigma, eso que a las sociedades les cuesta siempre organizar. Pues este descubrimiento, que descansa en decenas de miles de testimonios interpretados por Shere Hite, no es solo una notable observación fisiológica sobre el funcionamiento de los cuerpos de las mujeres, sino también una visión renovada del desarrollo de la sexualidad —incluso con su violencia— en los hombres y los niños. Hay que decir que el campo de la sexualidad, más que cualquier otro, está sobrecargado de símbolos. Por ello sus implicaciones nos tocan en lo más profundo a los individuos y las sociedades.

La principal revelación del primer *Informe Hite* fue que si, en efecto, el orgasmo en la mujer no procede del acto reproductor, es la misma definición de la sexualidad lo que se pone en tela de juicio. Ahora bien, el mensaje que sigue resonando hoy en nuestras cabezas gracias a la «sabiduría» popular o tradicional, gracias al freudianismo y sobre todo a la pornografía, es: «El hombre penetra a la mujer y esta se corre». Este cliché simplista, anclado en una concepción rigurosamente reproductora de la sexualidad, es resistente porque está por todas partes, como si fuera «moderno». Aunque hoy está completamente superado, perdura porque, en cierto modo, les viene bien a los hombres, muy contentos de trasladar a su compañera las disfunciones y las decepciones de la vida sexual de pareja.

Así pues, los hombres tienen muchas cosas que poner en orden. Sus relaciones con las mujeres en general, con sus semejantes y con su propia sexualidad podrían ser mucho más ricas, mucho mejores. Shere Hite ha consagrado gran cantidad de tiempo al estudio de la sexualidad y la identidad masculinas (basándose en siete mil hombres con edades comprendidas entre los catorce y los noventa años) con el fin de elaborar una visión lo más completa posible de la sociedad. Destaca sobre todo (véase cap. 2) que los hombres soportan muchos clichés que caricaturizan la sexualidad masculina, y el condicionamiento al que se ven sometidos durante su infancia y adolescencia. Nunca hasta ahora se había documentado y descrito tan minuciosamente el desarrollo sexual, físico, biológico y emocional de los niños. Se descubre en particular cómo se fomenta que repriman sus sentimientos femeninos, que rechacen a su madre y todo lo que pertenece al mundo de «las niñas», que se entrenen con otros niños, que practiquen deportes «viriles»... Durante esta edad clave, atraviesan un periodo verdaderamente traumatizante que les obliga a cambiar, lo que comúnmente se llama Edipo. Shere Hite ha desarrollado una teoría sobre el complejo de Edipo completamente diferente de las anteriores, que muestra el choque conflictivo de la sexualidad creciente de los niños con los conceptos arcaicos que les impone la sociedad.

Si fuera posible reinventar la sexualidad desde su origen, podría adoptar formas insospechadas, más personales. Pero para ello debemos estar dispuestos a reflexionar. Este libro es una invitación al replanteamiento, pero también un instrumento a disposición de cualquiera para trabajar sobre una verdadera metamorfosis de la sexualidad y, por lo tanto, de la sociedad.

PHILIPPE BARRAUD

1
EL SEXO DE LAS MUJERES, TODO UN MUNDO

LA BELLEZA DEL ORGASMO

—*Sus investigaciones han demostrado —para el asombro de muchos— que la sexualidad de las mujeres es diferente de lo que la gente imagina en la actualidad...*

—Efectivamente, muy diferente, incluso. Mis investigaciones han demostrado que, para disfrutar, la gran mayoría de las mujeres precisan de una estimulación clitoridiana que dure hasta que el orgasmo se produzca. El otro descubrimiento —al parecer más difícil de aceptar— es que las mujeres rara vez tienen un orgasmo durante el coito. Esta diferencia parece crear una oposición entre hombres y mujeres, pero va a suceder exactamente lo contrario: desde el momento en que se tenga en cuenta la realidad revelada por mis investigaciones, el conocimiento del funcionamiento femenino eliminará una ignorancia que ha sido fuente de conflictos y frustraciones durante siglos.

Hasta hace poco, la sociedad —por sus religiones, sus médicos, sus psiquiatras— creía resolver el problema pretendiendo que era culpa de las mujeres, acusando a algunas de ser «frígidas» y provocando un sentimiento de culpabilidad entre otras. Nadie había pensado en la mejor solución, que es reconocer con gozo el cuerpo femenino tal como es, con su propia forma de alcanzar el orgasmo.

Pero ha pasado la época en la que las mujeres debían aceptar los prejuicios. Estamos al inicio del tercer milenio y ellas han contribuido activamente a mejorar su posición. No solo pueden correrse por sí mismas, sino que también son capaces de utilizar su saber para iniciar un nuevo género de relaciones sexuales. A medida que adquieren más derechos en la sociedad en general, valoran más su identidad sexual y su forma de comportarse. Ello conducirá a las parejas y a los individuos a relaciones mucho más bonitas, que serán —por no hablar aquí más que de la heterosexualidad— más placenteras para las mujeres y más gratificantes para los hombres.

—*Entonces, ¿cómo se presenta hoy la sexualidad femenina?*

—Como un universo complejo y fascinante que está tomando forma. Las mujeres se han puesto a inventar su sexualidad según su propia voluntad, aunque se vean sometidas a nuevas presiones orientadas a decirles lo que deben ser y cómo tienen que comportarse.

—*¿Por ejemplo?*

—Que deberían comportarse como mujeres «liberadas sexualmente», llevando ropa ajustada y barra de labios llamativa, mostrándose agresivas si quieren parecer modernas. Aunque las mujeres hayan avanzado muchísimo durante los últimos veinticinco años —los hombres también están revisando sus ideas y su identidad masculina—, la sexualidad todavía permanece en sus balbuceos. Sin embargo, podría ser mucho más expresiva, mucho más rica.

Los cambios que las mujeres provocan y van a provocar en la identidad sexual son más personales, discretos y profun-

14

dos en su significado que los fuegos artificiales estilísticos que se hacen pasar por «el cambio» en los estereotipos mediáticos. A medida que las mujeres crezcan y logren seguridad, además de poderes financieros e institucionales en la sociedad, los cambios que efectúen en su sexualidad se irán extendiendo y profundizando. Nos conducirán a un verdadero cambio de perspectiva, un panorama mucho mayor, indisociable de la paz del mundo, donde se verá el fin de la mentalidad del hombre agresor, con su cortejo de violencia sexual y destrucción del medio ambiente.

—¿*Sus investigaciones han cambiado nuestro modo de ver la sexualidad femenina?*

—He podido demostrar, basándome en una investigación a gran escala, que en la mujer, para alcanzar el orgasmo, la estimulación del clítoris es más importante que la penetración vaginal. He llegado a la conclusión de que este descubrimiento tendrá profundas implicaciones. En contra de quienes deducen a partir de esta observación que las mujeres tienen un problema, estoy convencida de que no son ellas las que lo tienen, sino la sociedad, bloqueada por sus creencias sobre la sexualidad femenina. Lo que querría decir que la misma definición de la sexualidad debería cambiar. También he demostrado que, en contra de las ideas recibidas de que a las mujeres les costaba alcanzar el orgasmo, en realidad no tienen ningún problema al respecto, pues saben bien cómo lograrlo estimulándose ellas mismas. Por lo tanto, me atrevo a repetir que es la sociedad la que «tiene un problema»: no admite que las mujeres se den placer mediante la estimulación clitoridiana —la masturbación— y querría que lo lograran de otra manera, es decir, por la estimulación vaginal que produce la penetración. Si he propuesto una nueva definición de la sexualidad es, por una parte, para conseguir que avance la idea de la igualdad en las relaciones sexuales y, por otra, para hacer más individual el erotismo.

Hasta ahora se había culpado a las mujeres: si necesitaban una estimulación prolongada del clítoris para tener un orgasmo, se debía a que eran «inmaduras»; según algunos psicólogos, si no alcanzaban el orgasmo durante el coito, era porque sufrían de una «disfunción psicológica» y, por lo tanto, tenían que someterse a tratamiento; si una mujer se demostraba incapaz de «superar sus inhibiciones», era porque estaba bloqueada o era mediocre...

En otras palabras, había muchas personas que consideraban anormales a las mujeres, pretendiendo que sufrían una disfunción o un trastorno psicológico que les impedía alcanzar el orgasmo de la misma manera que los hombres. Pero si se considera la sexualidad según los criterios de igualdad de los sexos, se debe plantear la pregunta siguiente: en materia de orgasmo, ¿cuáles son las necesidades más legítimas? ¿Ha de ser el orgasmo femenino la culminación de la relación sexual?, ¿ha de serlo el del hombre?, ¿alguno de los dos o los dos juntos?

En la época en que comencé mis investigaciones, la opinión general era poco objetiva o científica. El hecho de que una mujer se interesara por la sexualidad femenina de un modo científico resultaba una idea novedosa.

—*¿Y cuál fue el impacto de esta nueva manera de actuar?*

—He recibido cartas de personas que me decían que mis trabajos les habían cambiado la vida. Algunos medios de comunicación, como la agencia Reuters, han escrito, por ejemplo, que los informes Hite «han marcado de manera indeleble a la civilización occidental». Sí, la repercusión sobre la sociedad ha sido considerable. El *Informe Hite* se ha citado como uno de los cien libros clave del siglo [*London Times,* 1999] y he recibido la medalla por servicio distinguido [*Distinguished*

Service Medal] de la Asociación Estadounidense de Investigadores, Consejeros y Terapeutas del Sexo [*American Association of Sex Researchers, Counselors and Therapists: AASECT*]. Pero otros me han atacado...

—*¿Sigue definiéndose hoy la sexualidad femenina en detrimento de las mujeres?*

—El modo de definir la sexualidad desde hace mucho tiempo —y que por desgracia se perpetúa— va en detrimento de las mujeres. Ha hecho de ellas ciudadanas de segunda clase. En ese sistema era fácil para los hombres lograr su orgasmo porque tenían derecho a la estimulación necesaria, pero se negaba a las mujeres la que ellas precisaban. En realidad, aunque nunca se había estudiado de forma científica antes de mis trabajos, la mayoría de la gente sabía que las mujeres podían alcanzar el orgasmo masturbándose; Kinsey lo sabía. Entre quienes sabían que la mayor parte de las mujeres experimentaban dificultades para sentir un orgasmo durante el acto sexual, la gran mayoría insinuaba que estaban llenas de «problemas». Y hoy existen multitud de imágenes y películas pornográficas que muestran que —en contra de la realidad— las mujeres alcanzan el orgasmo con facilidad durante el coito... Mi interpretación de los datos es que no son las mujeres las que tienen un problema, sino la sociedad en su definición de la sexualidad.

—*¿Quiere eso decir que sus descubrimientos han cambiado la definición de la sexualidad?*

—Sí, aunque se trata de un proceso a largo plazo que continúa en la actualidad. No es una casualidad que la Declaración de Naciones Unidas sobre los derechos de las mujeres [Pekín, 1995] enumere esencialmente principios relativos al derecho de las mujeres en numerosas culturas a ser dueñas de sus propios cuerpos. En las sociedades patriarcales, la cuestión de los cuerpos de las mujeres y de lo que hacen con ellos es un aspecto central en la perspectiva de su liberación (pensemos en la práctica de la ablación del clítoris en África o en la venta de niñas en Afganistán). En nuestro caso, la definición de la sexualidad —los preliminares, seguidos de la penetración vaginal, culminando con el orgasmo del hombre en la vagina— ha bloqueado a las mujeres, impidiéndoles servirse de sus cuerpos para su afirmación sexual. Se ha insistido para que los pongan al servicio de las necesidades sexuales de los demás. Aunque las mujeres tratan de romper este círculo, se encuentran restos de este modo de ver las cosas en los mismos actos de lo que llamamos sexualidad. Sin duda, no siempre es fácil para una mujer librarse de la carga de la historia y «reclamar sus derechos».

—*Hasta donde sé, el verbo «orgasmer» solo se utiliza en sus escritos. ¿Por qué uno nuevo cuando existe en francés el verbo «jouir»?*

—Se crean palabras todos los días, así que, ¿por qué no esta? Además es una cuestión política. Primero lo introduje en inglés como una abreviación de la expresión usual *to have an orgasm,* tener un orgasmo, perífrasis que no muestra a la persona activa en su orgasmo: no *hace* nada, lo *tiene.* El verbo se adoptó de inmediato en la traducción de mis libros al español *(orgasmar).* En francés resulta mucho más precioso porque añade algo más preciso y más potente que el verbo *jouir.* Este último tiene un origen latino *(gaudere)* que significa «alegrarse», lo cual es un eufemismo al hablar del placer sexual logrado. Por su etimología griega *(organ-orgasma),* la palabra orgasmo hace referencia a una «efervescencia de ardor». Y quizá la lengua francesa ponga el dedo en la llaga, si se me permite la expresión: etimológicamente, si una mujer *jouit* (goza), simplemente *réjouie* (se regocija); mientras que si *orgasme* (orgasma), crea en ella, y tal vez en su pareja, el sentimiento de «hervir de ardor»... Sin duda vale la pena establecer la diferencia, puesto que uno de los temas centrales de nuestras discusiones es precisamente la posibilidad de que la mujer sea ella misma la artífice de su orgasmo. Es un símbolo de poder personal, y también político.

LA GLORIA DEL «PUNTO C»

—*Así pues, ¿afirma que no se ha querido reconocer la forma como gozan las mujeres, es decir, cómo experimentan un auténtico placer sexual?*

—Las presiones y los prejuicios sociales, políticos y religiosos han creado una atmósfera en la cual era imposible estudiar la sexualidad femenina de una manera científica. ¿En qué consiste la actitud realmente científica en el estudio del reino animal? Si un investigador descubre que la mayoría de los individuos de una especie determinada obtienen placer de una cierta forma, ha de considerar *normal* dicho comportamiento y puede generalizarlo a toda la especie. Por lo tanto, los investigadores que han estudiado a las mujeres han estado cegados por los prejuicios y no han intentado observar lo que pasaba de modo neutral y desapasionado. De la necesidad que tienen la gran mayoría de las mujeres de una estimulación clitoridiana más larga de lo que el hombre imaginaba (por la masturbación, la estimulación utilizada era conocida), se llegó a la conclusión de que sufrían algo anormal, puesto que no se amoldaban a las previsiones de la sociedad, que quería que alcanzaran el orgasmo de la misma manera y durante el mismo acto que los hombres.

Mis investigaciones han establecido los hechos y después he extraído las conclusiones científicas (que son muy positivas). La principal es que el orgasmo por estimulación clitoridiana o exterior es normal en las mujeres.

También se puede abordar el tema dando un rodeo por la igualdad de derechos. La concepción clásica de la sexualidad —el coito— otorgaba a los hombres la estimulación por medio de la cual podían alcanzar fácilmente el orgasmo, mientras que le negaba a las mujeres la estimulación que funcionaba para ellas. En realidad, el sexo se resumía en el coito, es decir, en la estimulación apropiada para el hombre (y para la reproducción). La diferencia es que en el hombre la masturbación que conduce al orgasmo estimula la misma parte de su cuerpo que el acto sexual, mientras que para la mujer la estimulación debe producirse en otro lugar.

Esta situación colocaba a las mujeres en una posición muy difícil. Sin duda, la mayoría podía llegar al orgasmo por la masturbación, estimulándose la región púbica exterior o el clítoris, pero se consideraba fuera de lugar que una mujer recurriera a este género de estimulación en presencia de su pareja: «un insulto para el hombre», «una mujer no tiene necesidad de eso». Así fue como las mujeres que precisaban que la estimulación clitoridiana durara un tiempo determinado para alcanzar el orgasmo fueron calificadas de inmaduras durante casi todo el siglo XX. Esta idea la popularizó particularmente el psiquiatra austriaco Sigmund Freud durante los años veinte.

No se trata de afirmar que las mujeres no experimentan placer durante la penetración vaginal, que puede suscitar sentimientos de excitación y de intimidad extática, sino solo de poner de manifiesto el hecho de que, para la mayoría de las mujeres, el coito no conduce por sí mismo al orgasmo.

UN CIERTO MALESTAR EN LOS HOMBRES

—¿Les preocupa realmente a los hombres que la mujer tenga o no un orgasmo?

—Es una pregunta interesante; he dedicado muchos años a encontrar la respuesta y, más en general, a descubrir si los estereotipos aplicados a los hombres y a la sexualidad masculina eran ciertos. Una parte de estos trabajos se ha publicado en el *Informe Hite sobre los hombres* y después otros elementos han aparecido en el *Informe Hite sobre la familia*. Otros resultados se publicarán en el futuro. Es posible que a algunos hombres les dé igual, pero mis investigaciones muestran que a menudo también experimentan cierto malestar después del amor y se preguntan si su pareja ha tenido un orgasmo verdadero o lo ha fingido. Y si se da el caso de que saben a ciencia cierta que no lo ha tenido, se plantearán infinidad de preguntas: «¿Quizá no he hecho que durara lo suficiente? ¿O es que he llegado demasiado deprisa?, ¿seré un eyaculador precoz? ¡Pero es que era difícil continuar, estaba excitadísimo y tenía ganas de eyacular! ¿Tal vez no he estado lo bastante atento? A menos que, quién sabe, a ella no le guste hacer el amor. ¿Y cómo podría gustarle si no tiene orgasmo? ¿Es ella, por lo tanto, un ser diferente a mí? Después de todo, la mayoría de los hombres, yo incluido, no aceptarían hacer el amor sin orgasmo al final. Entonces, si una mujer llega muy cerca del orgasmo, si está muy excitada pero se le resiste, ¿no se va a enfadar mucho en el fondo?».

Lo que me gustaría mostrar en el transcurso de nuestras conversaciones es que tanto los hombres como las mujeres podrían desarrollar en el futuro mejores relaciones sexuales, con recursos interiores más sólidos.

Solo un pequeño número de personas se han replanteado la concepción de la sexualidad basada en el coito; entre el gran público parece que la idea no ha evolucionado: en realidad, nada ha cambiado. En la actualidad, las películas de Hollywood y la pornografía que circula por Internet sostienen las viejas concepciones de la sexualidad y del coito, independientemente del tono moderno o desenfrenado que se emplee. Muchos hombres y mujeres desean que las cosas cambien y, de hecho, en privado algunos hacen que avancen. Pero tropiezan con el muro de resistencia que crean a su alrededor las imágenes tradicionales de la sexualidad.

LOS HOMBRES, EL CLÍTORIS Y EL ORGASMO FEMENINO

Finalmente, la pregunta que se plantea es la siguiente: ¿se corresponden con la realidad los clichés aplicados a la sexualidad masculina? Me he esforzado en disecar lo más finamente posible la psicología masculina, para ayudar a los hombres y a la sociedad a reexaminar sus valores.

—*Así pues, los hombres se hacen preguntas sobre el orgasmo o la ausencia de orgasmo de su pareja...*

—Sí, así lo creo. Algunos dirán que hasta 1950 a los hombres les traía sin cuidado, pero no lo sabremos nunca. Por otro lado, sería fácil sostener que sigue siendo así, puesto que hoy disponen de toda la información necesaria para lograr que su pareja alcance el orgasmo. Desde luego, una parte de la información sería inexacta; pero ¿quién lo puede contrastar?

La mayoría de los hombres se sienten abatidos y a disgusto cuando su pareja no presenta evidencia alguna de haber llegado al orgasmo. Pensarán que han fracasado o que la mujer es un ser verdaderamente diferente: «ni siquiera se molesta en disfrutar mientras hace el amor». Esta idea produce en algunos un gran sentimiento de malestar, unido a veces a una forma de odio hacia sí mismos nacido de sus tentativas de acercarse a una persona que no respetan de verdad porque no es «más que una mujer»: ¿cómo puedo necesitar a una persona que no se me parece?

Otros dicen que los hombres son animales, violadores natos que, una vez que se excitan, no piensan más que en ellos mismos, «pero no se puede hacer nada». De modo superficial, juzgar que «los hombres son así» puede ayudarlos a sentirse mejor. Pero, en el fondo, ¿qué sienten cuando se ven representados como un animal dominado por el celo [véase cap. 4, pág. 127]? Podría conducirlos a menospreciarse, en particular en la sexualidad. Por otra parte, cuando los hombres pretenden que les tiene sin cuidado saber si la mujer orgasma o no, me pregunto si es verdad y cómo viven con esa forma de pensar: no se deben de gustar demasiado en ese momento... Pienso que preferirían que la mujer orgasmara al mismo tiempo que ellos.

Quienes se aferran a la concepción tradicional de la sociedad y la sexualidad se encuentran en una situación delicada frente al orgasmo femenino, una situación comparable a la que, por su parte, experimenta la mujer. La mayoría de los hombres no han aprendido, ni se les ha ayudado a hacerlo, cómo orgasman las mujeres. Tampoco se les ha ayudado a romper con la concepción pornográfica de la sexualidad que divulgan el cine e Internet.

EL ORGASMO EN LA SEXUALIDAD TRADICIONAL

—*¿Por qué algunas mujeres se sienten culpables de no correrse a la vez que el hombre?*

—Al entrar en esa institución llamada sexualidad, las mujeres aprenden como los hombres el papel que deben desempeñar y, de este modo, «quiénes son». Avanzar en los diversos momentos del amor —preliminares, penetración...— es como aprender a bailar con una pareja, sabiendo por adelantado el paso que se debe dar a continuación. Pero, tal como existe, la sexualidad impone reglas desiguales a la pareja. Si una mujer ha oído decir que debe sentir un orgasmo durante el acto sexual, aun cuando sepa por otro lado que no le sucede a la mayoría, va a «aprender la lección» una y otra vez: «Soy una nulidad, puesto que él lo consigue; él sabe hacerlo, no tiene reparos para dejarse llevar y eyacular. ¿Por qué no puedo yo ser igual de libre?». Aun cuando una mujer consiga decirse: «¡Alto! Esa no es la mejor manera de ver las cosas», una parte de sí, durante cada acto sexual tradicional, aprende una lección de inferioridad. Y reniega de sus necesidades propias y de lo que sabe.

—*¿... y concluye que no es normal, que hay algo que falla en ella?*

—Sí. Repitamos que la idea fundamental es que una mujer normal debería correrse exactamente como un hombre. Muchos llegan a pensar que ambos deberían orgasmar al mismo tiempo, en la culminación del coito, por más que dicha previsión sea irreal. Muchos quisieran que las cosas sucedieran así, pues sería muy romántico. Y es fácil creer que «sí, que así debe ser. Quiero sentir eso», con toda la mitología que nos rodea, glorificando el coito como el Walhalla del sexo, donde dos seres se funden en uno en aras de la reproducción. Numerosas mujeres, al percibir que el hombre se está corriendo, sienten la pasión que le invade y quieren participar. También los hombres, cuando sienten ascender del fondo esa ola sexual, desearían que su pareja experimentara lo mismo. Sin duda, estas vigorosas emociones espirituales son importantes y auténticas, pero estoy segura de que también pueden sentirse en otros momentos, es decir, que este sentimiento de amor y unidad puede tener picos de intensidad mediante otros modos de estar juntos sexualmente.

—*A veces sucede.*

—Las personas viven momentos maravillosos juntas, incluso culminaciones de naturaleza diferente; pero es raro, muy raro, que orgasmen juntas... A muchos hombres les cuesta simplemente comprender la gran presión que ejercen sobre las mujeres al centrarse en el coito, considerado como su justo derecho cuando hacen el amor con ellas. Después de todo, las mujeres también podrían hacer el amor con un hombre sin ofrecer su colaboración durante el coito y sin sentirse implicadas psicológica y emocionalmente en el orgasmo de este. Pero ¿cabe imaginarse a una mujer diciendo de repente, en medio de una relación sexual: «Esto es estupendo, pero ahora me gustaría hacer otra cosa»? Es impensable, porque todos conocemos la regla tácita: una vez que el coito ha comenzado, no debe interrumpirse hasta que el hombre haya eyaculado.

Algunos han apuntado la idea de que tal vez los hombres comenzarían a comprender y cambiar de opinión si pudieran tener la experiencia de unas relaciones sexuales caracterizadas por una estimulación insuficiente para hacerlos orgasmar. Si pudieran probar por sí mismos ese sentimiento de «casi, casi, casi» que tantas mujeres experimentan durante el coito... Pero a los hombres les cuesta mucho imaginar. La mayoría no cree que oprime a las mujeres cuando espera de ellas que orgasmen durante el coito, ni cuando espera que reclamen de forma explícita la estimulación del clítoris, puesto que la necesitan para correrse. Y admite de forma implícita que ellas no se corren durante el coito, en una cultura proclive a considerarlas «nulidades». En realidad, una mujer jamás debería tener que reclamarlo; de la misma manera que ofrecen el coito a los hombres, ellos deberían ofrecerles la estimulación adecuada para hacerlas orgasmar.

Hace mucho tiempo que los investigadores han sugerido a los hombres el medio de imaginarse en esa situación. Han comparado la reducida estimulación del clítoris que siente la mujer durante el coito, que la deja en un estado de gran excitación pero sin orgasmo, con el efecto que producirían ligeros tocamientos en los testículos: nadie esperaría que bastaran para correrse. Habría que hacerlo de una manera muy sensual, de suerte que el hombre se acercara casi a orgasmar, pero sin lograrlo. «Pero, en definitiva, si él la ama de verdad, ¿no debería ser capaz de correrse así? ¿Por qué debería ser acariciado un poco más arriba, en el extremo del pene?».

¿Cuándo orgasman las mujeres?

—*En suma, la buena noticia es que las mujeres han descubierto la masturbación, y la mala, que siguen sintiéndose culpables de practicarla.*

—Sí. Pese a los tabúes y la falta de información, han descubierto en ellas mismas los recursos que conducen al orgasmo, lo que testimonia una sana relación con su cuerpo. Es además signo de que la mayoría de las mujeres, a pesar de los grandes obstáculos culturales, han sabido encontrar este medio y se han atrevido a procurarse este placer. Todo contribuye a demostrar que, a lo largo del siglo XX al menos, las mujeres jamás han tenido dificultades para hacerse orgasmar ellas mismas. Pero a pesar de esta posibilidad de procurarse orgasmos, a menudo se han preguntado si no tenían un problema puesto que no podían correrse de otro modo, es decir, con un hombre. Pero imaginemos por un instante lo que experimentaría un hombre que normalmente se corre masturbándose si se le pidiera orgasmar con una estimulación completamente diferente durante el amor... Pues, hasta ahora, las mujeres no han criticado realmente la concepción que tienen los hombres de la sexualidad, sino su propia psique.

—*¿Pero por qué se ha puesto esa carga sobre las mujeres?*

—Porque la sociedad en su conjunto ha considerado más cómodo criticarlas. La idea de que las mujeres tienen un problema está en el ambiente. Numerosas revistas populares han seguido los pasos de Freud, para quien las adolescentes, en la pubertad, deben hacer pasar su necesidad de estimulación del clítoris a la vagina, lo cual hoy día parece ridículo. Así es como se podían leer en las revistas cosas de este tipo: «Las niñas impúberes gozan masturbándose», un eufemismo para la estimulación del clítoris. Pero para ser una verdadera mujer, en la que se convirtió en la mitología popular no expresada, debías abandonarlo para interesarte por cosas «más gordas y mejores». Afirmar que las mujeres eran incapaces ha servido durante años para rebajarlas.

—*Así pues, ¿la masturbación se veía como algo infantil?*

—Sí, como algo malo y tonto. Esta concepción se aplicaba también a veces a la masturbación masculina, en la idea de que solo los niños lo hacen solos, mientras que los adultos lo hacen con una pareja. Se sobreentiende que es mejor orgasmar gracias a una pareja que por uno mismo. ¿Por qué? Porque hacerse el amor uno mismo es egoísta: toda sexualidad que no conduzca al noble esfuerzo procreador es egocéntrica y narcisista. Fundamentalmente, la sexualidad sería «una inclinación natural hacia la reproducción». Expresarse sexualmente de una manera diferente al «deseo normal de coito» y con la intención de procrear —lo que se llama, en lenguaje moderno, «el amor en la pareja», que al final se reproduce— revela inmadurez y pecado.

Sin duda, esta visión negativa de la masturbación desconocía por completo un dato importante: que para la mayoría de la gente hay momentos de la vida en los que no hay nadie... Y aun cuando haya alguien, sería demasiado pedir que ese compañero tuviera las mismas ganas de hacer el amor al mismo tiempo que nosotros. Hoy vemos la masturbación de un modo muy diferente, como un derecho que pertenece a cada uno, un medio de expresarse y de manifestarse su propio amor.

—*¿Mantienen los hombres la misma relación con la masturbación? ¿No se la percibe también como una actividad vergonzosa o infantil?*

—Sí. Los hombres también pueden sentir vergüenza al masturbarse. Para la sociedad, un hombre verdadero debe tener una compañera sexual. Si se masturba, la gente dirá: «¿Qué le pasa, no puede encontrar a alguien?». En realidad, la mayor parte de los hombres se masturban, incluso cuando tienen una vida sexual activa con un compañero o una compañera. ¿Por qué? En mis investigaciones, les he preguntado: «¿Por qué te masturbas?». Uno me ha respondido: «La verdad es que tengo dos vidas sexuales. Una conmigo mismo, por la masturbación, y otra con mi pareja». ¿Cuál es la diferencia entre estas dos vidas sexuales? En mis trabajos, la mayoría de los hombres afirman sentirse bien durante los momentos que se conceden a sí mismos, más sosegados porque no experimentan la presión de hacer orgasmar a la mujer ni de lograr ningún resultado particular. Por lo tanto, pueden ir deprisa o lentamente, tomarse el tiempo de cultivar sus fantasías. Lo califican como magnífico y obtienen un inmenso placer tocándose de cuando en cuando «por todas partes». Las mujeres se ofenden al descubrir que su pareja se masturba: «¡Me tiene a mí! ¿Qué necesidad tiene de masturbarse?».

—*Piensan que él no necesita nada más...*

—Sí. Pero en mi opinión la masturbación masculina posee un significado interesante, y es que tal vez la sexualidad tradicional tampoco es tan ideal para los hombres... Se trata de un concepto revolucionario en una sociedad que cree que durante el amor los hombres lo tienen todo, que el acto sexual es la expresión misma de la naturaleza masculina. Hasta ahora, ha sido a las mujeres a quienes se han hecho recriminaciones sobre la sexualidad, puesto que para los hombres la institución era perfecta. Pero quizá solo era una ilusión: cuando en mis investigaciones he preguntado a los hombres por qué se masturbaban, sus respuestas hacían pensar que podían dar más rienda suelta a su sexualidad que durante el amor. La mayoría siente la presión del resultado y se cohíbe, entre otras cosas. La gente cree que, puesto que se corren, a los hombres les gusta la institución del sexo tal como es, que resulta perfecta desde su punto de vista. Mis trabajos muestran que también tienen sus dudas.

¿CÓMO SE MASTURBAN LAS MUJERES?

—*¿Ha mostrado su primer gran estudio que las mujeres sabían espontáneamente cómo masturbarse hasta el orgasmo? ¿O deben aprenderlo de una manera u otra?*

—La masturbación tiene de interesante, en las mujeres en particular, que si nadie le enseña a las niñitas cómo hacerlo, lo descubren solas. Y aunque nadie las felicite por haber descubierto y liberado así ese misterio de sus cuerpos, la mayoría va a considerarlo parte de la vida de una mujer. Nadie explica a las niñas cómo hacerlo ni les da lecciones, pero de todos modos lo hacen. Y al crecer, al llegar a adultas, continúan.

En una sociedad siempre dispuesta a censurarlas a cada momento, eso muestra la buena salud psicológica de las mujeres, que descubren cómo hacerse orgasmar, a pesar de que apenas se les informe sobre el modo como las demás mujeres se estimulan y de que no exista ninguna institución particular para ayudarlas a hacerlo. En cierto sentido, las mujeres trascienden las barreras y las fronteras de la cultura dispuestas a su alrededor al masturbarse espontáneamente hasta el orgasmo para su propio placer.

Según las investigaciones detalladas que he realizado sobre la masturbación (y no existen otras de esa amplitud), la mayoría de las mujeres se provocan el orgasmo de la misma forma, si bien hay algunas diferencias menores, como la posición de las piernas, la intensidad de la presión y la duración. La mayoría utiliza simplemente la mano o los dedos para acariciarse con un ritmo suave el clítoris o la región púbica (algunas hacen uso del agua del baño o la ducha). Prácticamente ninguna acompaña esta estimulación de la región clitoridiana o púbica con una penetración vaginal. Un tercio prefiere mantener las piernas y los músculos apretados para esperar el orgasmo durante la masturbación; el resto la practica con las piernas abiertas.

—*¿Por qué se ha negado la sociedad a incluir esta sencilla estimulación para el orgasmo en su versión canónica de la sexualidad?*

—El primer capítulo del *Informe Hite* sobre la sexualidad femenina se dedica a la masturbación. Estaba convencida de que dicho capítulo debía figurar al principio del libro. ¿Por qué? Al tener en cuenta lo que las mujeres dicen sobre su práctica de la masturbación, observando cuándo y cómo se procuran un orgasmo, lógicamente se pueden deducir cuáles son las prácticas más importantes para que una mujer lo alcance. Estas prácticas deberían ser parte integrante de la definición común de la sexualidad. Si nuestra cultura cree de verdad en la igualdad actual entre hombres y mujeres, esto debería constituir una prueba.

El editor del libro, de manera comprensible para él (!), intentó hacerme desplazar el capítulo «Masturbación» a un lugar posterior de la obra, afirmando que no podía «comenzar de sopetón con un tema tan repugnante». Traté de explicarle que decía muchas cosas sobre las mujeres, que daba un mensaje muy positivo, pero creo que no me hice comprender bien. De todas formas, insistí en que el capítulo «Masturbación» fuera el primero, y creo que tenía razón. Es emblemático de la manera en que las mujeres se hacen cargo de sus propios cuerpos y de cómo un día podrían querer compartirlo con otros, en un mundo nuevo...

—*¿Ha podido establecer una tipología de técnicas de masturbación?*

—Sí, he descrito de forma muy detallada la masturbación femenina (y la masturbación masculina). ¿Por qué? Porque es esencial que la sociedad comprenda en todos sus detalles las variantes que las mujeres encuentran útiles. Por otra parte, aunque se desprende que la mayoría de los detalles no son muy significativos, la posición de las piernas sí puede resultar importante. Por ejemplo, algunas mujeres solo logran orgasmar si tienen las piernas apretadas una contra otra. Otras solo se corren si están tumbadas sobre el vientre o en una postura particular. No han aprendido a colocarse en esta o esa posición para masturbarse. En mi opinión, es el resultado del hecho de que la anatomía sexual de las mujeres es esencialmente interior y, en consecuencia, puede responder a planteamientos diferentes según la anatomía de cada una. La posición de las piernas y del cuerpo modifica la de los órganos sexuales internos para favorecer el orgasmo. Para las mujeres que deben tener las piernas apretadas para correrse, es doblemente difícil lograr un orgasmo durante el coito, aunque lo aprecien tanto como las que se masturban con las piernas abiertas. Esta posición corporal no busca el placer sexual, sino el desencadenamiento del orgasmo.

La masturbación es el elemento clave que permite comprender la clase de estimulación que reclaman los cuerpos de las mujeres. Si no, ¿por qué la utilizan mucho más que cualquier otra? Las mujeres se masturban para orgasmar, y lo logran la mayor parte de las ocasiones, varias veces en algunos casos. Puede haber algunas variaciones, pero solo el 1,5 por 100 de las mujeres recurren a una u otra forma de penetración vaginal durante la masturbación. La mayoría se sirve de sus manos para acariciarse, aunque, como se ha visto, un pequeño porcentaje utiliza el agua del baño o de la ducha. Solo una proporción ínfima emplea un vibrador; en ese caso, cualquiera que sea la forma, lo oprimen contra la región púbica y clitoridiana en lugar de moverlo dentro de ellas. Un cierto número de mujeres se corren apretando de forma rítmica una pierna contra otra. En cuanto a las que solo se masturban en el cuarto de baño —probablemente porque tenían muchos hermanos y hermanas—, encuentran placer en dejar que el agua haga lo que otras hacen con sus manos.

Algunas mujeres indican que las exigencias de sus cuerpos evolucionan con el tiempo, con la edad, con los cambios psíquicos. Cuando eran jóvenes se acariciaban más arriba de la región púbica, pero progresivamente han pasado a estimularse más abajo, no en el interior de la vagina, sino más abajo, en la vulva. También a veces mujeres que se masturbaban tumbadas de espaldas pasan a hacerlo echadas sobre el vientre, o viceversa. La posición de los cuerpos puede ser muy importante. Incluso cabría afirmar que las mujeres muy delgadas o muy gordas logran mejores resultados boca abajo. Cada una es diferente.

—*¿Podría explicar por qué?*

—Una de las razones, como ya he señalado, es que los órganos sexuales femeninos son esencialmente interiores, mientras que, en el hombre, los órganos genitales son exteriores. Los hombres pueden cogerse el pene con la mano en la posición que les convenga; por su parte, las mujeres deben desplazar las piernas, a veces con un movimiento rítmico, para ajustar la posición de su estructura clitoridiana interna y provocar una aportación máxima de sangre a los órganos genitales, luego el movimiento inverso para el orgasmo. De este modo, la posición del cuerpo de la mujer es verdaderamente importante.

RÉQUIEM POR EL PUNTO G

—¿Y qué es del mítico punto G?

—Se trata de una teoría según la cual existe un lugar bien definido en la vagina que, cuando se toca, debería provocar el orgasmo. Mis investigaciones no han aportado ninguna prueba de la existencia de tal punto. Francamente, esta teoría del punto G me parece una maniobra más para obligar a las mujeres a amoldarse a la concepción coercitiva clásica de la sexualidad, que se resume en la penetración vaginal, un punto, eso es todo, y para imponerles lo que deberían ser sexualmente. Sin duda, algunos piensan que sería mucho más sencillo para los hombres si las mujeres se avinieran a orgasmar durante la penetración con una simple estimulación vaginal de cierta índole gracias al punto G, en lugar de salir con exigencias sobre la estimulación de su clítoris... He aquí de dónde viene la popularidad de ese concepto imaginario. De hecho, al final del verano de 1991, los investigadores de una universidad de Boston demostraron de modo irrefutable que ese punto G no existía.

Se han visto otras ideas de este tipo. A lo largo de la historia, a menudo se ha sugerido a las mujeres que se adaptaran: así los hombres y la sociedad se evitarían el esfuerzo de tener que admitir que las cosas cambian y sobre todo de comprender claramente que la sexualidad, tal como existe, es discriminatoria y opresiva, y sin duda inadecuada...

Hubo, por ejemplo, la cómoda teoría de que las mujeres, al hacerse adultas, aprendían a obtener la estimulación necesaria durante la penetración vaginal: fue idea de Freud [véase cap. 3, pág. 109]; luego, según parece, de Kinsey, aunque llegaron a ella por planteamientos muy diferentes. Freud insistió sobre la idea de que en la pubertad las niñas debían transformar su necesidad de estimulación del clítoris en necesidad de estimulación vaginal. Al comienzo de los años cincuenta, Alfred Kinsey sugirió en su célebre obra que después de algunos años de matrimonio las mujeres debían de alcanzar con mayor facilidad el orgasmo en la «sexualidad conyugal».

Fue un hombre, el doctor Grafenburg, quien «inventó» el punto G, sin vacilar en adelantar una idea que no se apoyaba en ninguna prueba fisiológica. Esta teoría confusa no representa más que el deseo que tienen muchos hombres y algunas mujeres de creer que, después de todo, debe de haber un truco para que las mujeres se corran durante el coito. Siempre se puede creer en Papá Noel...

Por otra parte, desde hace mucho tiempo los hombres se han dedicado a la búsqueda de un «orgasmo vaginal», según su expresión, que les evitaría reconocer lo que experimentan en realidad las mujeres. Muchas veces se ha empleado la cultura para mantener una definición desigual de la sexualidad, colocando a los hombres y a las mujeres en situación de conflicto sin ninguna necesidad.

—*Entonces, ¿el punto G no es más que una leyenda?*

—Jamás se ha podido probar su existencia, pero sí se ha podido demostrar con creces que no existe. Sí, es una leyenda. Imaginemos un poco: si de verdad hubiera un punto particular, habría provocado orgasmos en gran cantidad y jamás habrían aparecido los estereotipos que afirman que a las mujeres les cuesta correrse. En resumidas cuentas, si existiera de verdad, ¿por qué no habría aparecido hasta ahora?

Para tratar de comprender dicha creencia, se puede afirmar que, sin duda, en determinados momentos, la mujer siente diferentes puntos de placer en la vagina, aunque no exista un punto especial que reaccione a todos los intentos, en razón de la misma naturaleza de la anatomía interna femenina, una anatomía que con frecuencia está en movimiento y que acaba de empezar a estudiarse, a comprenderse. En el interior del cuerpo sexual de una mujer (la vulva y los tejidos que la rodean) hay un sistema denso de arterias y venas, que es la red clitoridiana interna: el clítoris no es solo ese «botoncito debajo de la vulva» en el que se piensa generalmente.

Puesto que el clítoris no es solo ese botoncito debajo de la vulva, sino en realidad una vasta red de arterias y venas que rodean la vagina e irrigan la vulva, se producirán cambios en la estructura sexual de la mujer cuando sobreviene una excitación y esos vasos se llenan de sangre. Esa turgencia se produce en el interior del cuerpo, alrededor de la cavidad vaginal y en la vulva. Más tarde, cuando la mujer goza del placer del orgasmo, la sangre refluye en oleadas, provocando probablemente al mismo tiempo las contracciones de la vagina. En otras palabras, si la vagina parece producir contracciones es porque el reflujo sanguíneo, en forma de oleadas, comprime sus tabiques de ese modo.

Los que creen en la existencia de un punto particular en la vagina tal vez no hayan comprendido bien las bases anatómicas elementales de la sexualidad femenina. Sin embargo, esas bases surgen de mis trabajos y también de los de un investigador australiano, que compara el punto G con un ovni. Se deben mencionar asimismo los trabajos del Women's Body Collective de California y los estudios pioneros del doctor M. J. Sherfey. Probablemente existen diferentes puntos en el interior del cuerpo que son eróticos para algunas mujeres porque están conectados con el sistema clitoridiano interno, de la misma forma que la posición de las piernas y del cuerpo varía ligeramente de una mujer a otra durante el orgasmo. De todos modos, algunos admiten la idea del punto G porque es muy cómodo...

—... *sobre todo para los hombres.*

—Sí. De hecho, el punto G es la nueva forma de la vieja idea según la cual, decía Freud, una mujer tiene que orgasmar por la penetración y experimentar en su vagina sensaciones que la conduzcan al orgasmo. Las mujeres no deberían necesitar estimulación del clítoris; deberían encontrar su punto G. Esta desgraciada teoría les ha costado a las mujeres veinte años de confusión. Y no había por qué: han sufrido las mujeres y los hombres. Una vez más se decía a las mujeres: «Si no descubrís vuestro destino vaginal, es que estáis mal adaptadas».

—*¿Y si no llegaban a descubrirlo?*

—Entonces se les decía: «¡No sois una verdadera mujer! Intentadlo, intentadlo de nuevo, toda vuestra vida». Está muy mal decirle eso a una mujer. Y totalmente desfasado.

Algo te excita, y entonces...

—*¿En qué momento prefieren masturbarse las mujeres? ¿Cuando están solas y tranquilas en casa o cuando están nerviosas?*

—Creo que en ninguno de esos momentos. Lo que tiene de curioso la excitación sexual es que puede sobrevenir en situaciones extremadamente diferentes o por razones muy diversas. Como hombre, debe saber que la excitación puede aparecer en cualquier momento y quizá le sea más fácil percibirla, puesto que puede acompañarse de una erección. Nosotras no siempre somos conscientes del todo de que estamos excitadas porque nuestra anatomía sexual es más interior y, por lo tanto, menos visible.

—*Bueno, pero entonces, ¿cuándo se masturban las mujeres?*

—Pueden acumularse en el cuerpo sensaciones sexuales, produciendo a veces una exaltación erótica y, por lo tanto, el deseo de orgasmar. La mujer también puede decirse: «No hay nadie, este sería un buen momento...». También puede masturbarse después de haber visto algo que le ha parecido *sexy* o haber pasado la tarde con una persona que la ha excitado.

—*¿De dónde proviene la excitación? ¿De lo imaginario, de las ilusiones, de cada uno?*

—¿Qué diría usted como hombre? Algo le excita y surge el deseo... ¿Qué es el deseo? He planteado esta pregunta a los hombres en mi estudio sobre la sexualidad masculina. ¿Son ganas de expresar alguna cosa con su cuerpo? ¿De decir algo por medio de una especie de explosión positiva? ¿O es el deseo de poseer al otro? ¿Por qué una mujer quiere gozar, por qué desea orgasmar?... Es simplemente un impulso violento en el interior del cuerpo. ¿Por qué tiene ganas de tener el pene de un hombre determinado en ella? ¿De dónde provienen dichas ganas?

—*¿Y de dónde provienen?*

—Primero, una respuesta física. Todos sabemos que el hecho de contemplar cierto tipo de imágenes o de personas que tengan un componente erótico puede despertar en nosotros el deseo de tener un orgasmo. Existen teorías sobre las feromonas o sobre el perfume sutil de las hormonas (la «química del cuerpo»), pero no se han llegado a demostrar completamente. Sea como fuere, los olores tienen mucha importancia. Otros afirman que con la edad la Viagra, incluso para las mujeres, hace afluir la sangre por las regiones del cuerpo produciendo el deseo...

Desde un punto de vista menos mecánico, las fantasías son muy eficaces, tanto para las mujeres como para los hombres: el cerebro da forma a las ilusiones que producen la excitación. La mayoría de la gente conoce bien los pensamientos que la excitan, las imágenes o los escenarios que despiertan su sensualidad. Cuando hace el amor con su pareja, la gente suele jugar en su cabeza con estas imágenes —de las que le habla o no a la otra persona— para llegar, al ritmo que le conviene, al grado de excitación buscado... No hay ningún mal en ello. Es probable que vayamos haciendo evolucionar nuestro lenguaje fantástico, que lo construyamos a lo largo de toda nuestra existencia.

Para pasar a una respuesta más «espiritual», diría que algunos están toda la vida buscando a la persona que les inspirará ese deseo, por misterioso que parezca. El deseo sexual puede ser provocado por el «amor» o ciertos tipos de amor, actitudes psicológicas particulares, o por el misterio, el *glamour*... Y quizá también por las incertidumbres, por la espera, por la esperanza... Y además por una intensidad de comunicación fuera de lo común. La verdad es que nadie sabe exactamente por qué se desea a una persona y no a otra. El campo del amor y de las relaciones humanas sigue lleno de misterio.

—*En resumen, ¿las fantasías y la imaginación pueden aumentar la excitación?*

—Sí, y a algunos se la provocan. Sin duda, es todo un arte estar excitado al mismo tiempo que la otra persona y con la misma intensidad. No es tan fácil, y ello explica en parte por qué son importantes para muchas parejas preliminares prolongados y por qué a la gente le gusta besuquearse largamente. Es una forma de dejar que la excitación aumente poco a poco, de gozar a la vez de todas sus sensaciones, de apreciar con plenitud el cuerpo del otro sin precipitarse al acto. A la mayoría de la gente le gusta tocar a su pareja y sentir a su vez caricias en lo más íntimo, mientras que crece la excitación.

Recurrir a las fantasías para excitarse puede ser una especie de empujón, un apaño, por así decirlo.

Sobre la erección y el temor a que ella se enfade...

—*¿Es verdad que a las mujeres les gustan los preliminares y los estados de excitación prolongados más que a los hombres?*

—La cuestión de la excitación puede convertirse en un problema para una mujer cuando al hombre le urge pasar al coito. Numerosas mujeres dicen que les gustan la excitación y los preliminares mucho más que a los hombres que conocen. A sus ojos, los hombres quieren pasar al acto de inmediato, no necesitan «todos esos remilgos». Se suele estigmatizar a las mujeres de manera bastante trivial porque les gusta tocar y sentir, considerando que esa parte de la sexualidad carece de importancia, es menos seria. Sin embargo, una de las razones por las que les gusta esa parte de la sexualidad (en el marco de una relación heterosexual) es porque, una vez que ha comenzado el coito, todo puede terminar relativamente pronto... El coito suele acabarse con el orgasmo del hombre y no después del de la mujer; por ejemplo, después de la estimulación del clítoris durante los preliminares.

Por otro lado, algunas mujeres comienzan a considerar el coito una especie de preliminar. Les gustaría orgasmar después de que el coito las ha conducido a una excitación muy viva —que podría hacerse con la mano—, pero por desgracia, según dicen las mismas mujeres, los hombres consideran que todo ha terminado cuando ellos se han corrido. Por eso, muchas mujeres prefieren quedarse en las primeras fases de toques, de besos y de sensaciones múltiples, para darse las mayores oportunidades posibles de sentir mucho tiempo el placer, de estar más excitadas y, de este modo, de sentirse bien. En pocas palabras, puede extenderse el acto del amor. La mayoría de las mujeres consideran extremadamente excitantes los gestos íntimos y sensuales de los preliminares.

En mis investigaciones, he preguntado a los hombres cómo se sentían durante los preliminares. Algunos han respondido que les gustaban, pero que evitaban prolongarlos porque, una vez que se tiene una erección, es necesario utilizarla. ¿Por miedo a perderla? Quizá porque se dicen: «Me arriesgo a perderla, así que debo penetrarla antes de que sea demasiado tarde».

—*Pensando que eso sería una catástrofe...*

—Sí. Muchos piensan que perder la erección sería realmente una catástrofe, muy vergonzoso para ellos, aun cuando, de hecho, podría regresar, ¿no es así? Después de todo, un hombre puede tocarse estando con la otra persona, en el caso de que la erección diera signos de desfallecimiento. Si pierden la erección mientras hacen el amor, los hombres pueden acariciarse un momento y recuperarla de inmediato; por lo tanto, no tienen nada que temer. Y, en cualquier caso, no es una catástrofe.

—*De acuerdo, pero la mujer puede mostrarse agresiva y decir: «Has perdido la erección, eso es porque ya no me quieres», lo cual no ayuda mucho...*

—Si él tiene esa actitud y considera que su erección es un problema crucial, ella tendrá la misma. Pero si él demuestra que siente placer de estar con ella, que le interesa ella más que el estado de su pene y que participa activamente en los preliminares, hay pocos riesgos de que le diga eso. En otras palabras, si él evita abandonar diciendo: «¡Oh, m...! ¡Ya no puedo hacer nada!», es poco probable que la mujer comience a quejarse. Si continúa abrazándola al mismo tiempo que se acaricia un poco para recuperar la erección —evitando separarse físicamente de la mujer o de la persona con la que esté—, no debería tener problemas, todo debería ir bien, sin recriminaciones ni quejas. En suma, abrazando a la otra persona y manifestando pasión, puede hacer él mismo con su mano lo que necesita.

—*Sí, bueno, pero supongamos que no sale bien. Eso puede ser terriblemente angustioso.*

—En mis investigaciones, el 95 por 100 de los hombres que se masturban no tienen ninguna dificultad para lograr una erección. Por lo tanto, si un hombre encuentra dificultades para alcanzarla en presencia de otra persona es porque debe de tener un bloqueo psicológico o porque lo hace torpemente. En cualquier caso, sería ridículo para una mujer reírse de un hombre que ha perdido su erección.

¿UN PROBLEMA MENOR?

Mi solución es que la definición de la sexualidad no debería poner el acento sobre la erección, la penetración y el orgasmo masculino.

—*Pongámonos en la piel de un hombre que siente que pierde la erección. Eso va a movilizar toda su atención y le ocupa la cabeza. Por consiguiente, le costará mucho fingir pasión, representar la comedia, ocultar su problema. Tal vez se ponga a sudar mucho, a temblar, qué sé yo; todo su cuerpo delatará su desconcierto. En un caso así, la actitud de la mujer puede agravar aún más las cosas, si se niega a ayudarle de una manera u otra.*

—No veo por qué a un hombre le tiene que resultar difícil continuar con los preliminares o por qué tiene que ponerse a sudar frío de repente, a menos que se encuentre bajo la total influencia de las presiones socioculturales sobre lo que debe ser un hombre: un pene. Al mismo tiempo, desde el punto de vista de las mujeres, diría que es difícil sentir una empatía

41

absoluta en la medida en que se trata de un problema relativamente menor comparado con los suyos: el hecho de que la mayoría de los hombres, en este momento de la historia, no siempre están dispuestos (¿o se niegan?) a ayudar a las mujeres a gozar como ellas quisieran y no comprenden (¿o se niegan a comprender?) la necesidad que tienen de una estimulación clitoridiana para orgasmar. Estoy segura de que esto cambiará en el futuro. Creo, además, que si los hombres llegan a comprender lo que dos personas pueden hacer juntas sexualmente, después de haber admitido que en la sexualidad hay otro acto tan importante como el coito, eso les ayudará a superar y a olvidar sus temores, su obsesión con la erección. Será una liberación para ellos.

Después de todo, las mujeres se encuentran en una situación precaria con respecto a los hombres y la sexualidad. Por lo tanto, acceden a establecer una relación, a comunicarse, a ayudar durante el amor. Me cuesta representarme los escenarios ordinarios que se suelen describir en los medios de comunicación, en los cuales una mujer se burlaría de un hombre porque ha perdido la erección. No creo que esa sea la regla, además de que podría preguntarse si eso significa que no la encuentra deseable...

¡HABLAMOS DE SEXUALIDAD FEMENINA!

—*La reacción justa tal vez consistiría en decir: «No es tan importante», puesto que para un hombre perder su erección es terriblemente importante...*

—¿Estamos hablando del orgasmo femenino? Tras treinta años de investigaciones y de libros para demostrar que las mujeres necesitan una estimulación púbica/clitoridiana para orgasmar —lo que implica que los hombres y la sociedad deben cambiar—, qué sorpresa comprobar que, a modo de reacción, se me habla sobre todo de los problemas de erección que encuentran los hombres. El número de veces que me he enfrentado a esta reacción es revelador: muchos hombres han vivido de ilusiones, incluso durante los veinte años «liberados», permitiéndose pensar que el coito era siempre el *Big Bang* de la sexualidad, después que las mujeres tenían un punto G. De golpe, la erección se convierte en «lo que ella quiere» y, para complacerla, se la debo ofrecer...

¿Por qué necesita un hombre su erección a toda costa? ¿Es porque en ese momento experimenta toda suerte de sensaciones sexuales y placer en el interior de su cuerpo? ¿O es porque piensa que todo hombre debe ser capaz de alcanzarla para poder decir: «¡Estoy empalmado!»? Si los hombres tienen tal terror a perder la erección es en buena medida porque sienten miedo de que se rían de ellos. No creo que sea por temor a lo que experimentan realmente al perder el placer. ¿Y usted?

—*No; pero pienso que las cosas son diferentes si sucede con una pareja regular, con la que el hombre puede hablar, o si, por el contrario, se trata de un primer encuentro, en cuyo caso el fracaso está, por así decirlo, prohibido...*

—Si a su entender es una nulidad porque no tiene erección, debería pararse a reflexionar. Pero en ese momento se puede limitar a actuar de otro modo.

—*Ya hemos hablado de la frustración de las mujeres que no han gozado antes o después que su pareja. A veces, experimentan una cólera real. Este es un problema del que los hombres ni siquiera tienen idea, ¿no?*

—En mis investigaciones, las mujeres experimentan mucha decepción y tristeza, pero rara vez cólera. Tal vez debieran. Después de todo, a los hombres les entraría una gran rabia y se sentirían humillados si, justo en el momento en que se preparan para orgasmar durante el coito, la mujer dijera: «¡Esto es estupendo, pero tengo que hacer en la cocina!». Es exactamente lo mismo. Así podrían darse cuenta de lo que siente una mujer.

—*Pero es raro que una mujer cese de repente de estimular al hombre. Habitualmente, él obtiene su orgasmo. Parece más frecuente lo contrario.*

—Sí. Sea por miedo o fruto de un condicionamiento, en general las mujeres han comprendido que no pueden interrumpir el proceso una vez que el coito está en curso. Creen que sería descortés e incorrecto no continuar un acto sexual que el hombre quiere proseguir hasta el final. Tanto los hombres como las mujeres parecen estar metidos en una coreografía, un escenario preestablecido, cuando quieren mostrarse eróticos uno frente al otro. Las mujeres en particular, pero también los hombres, no se atreven a llegar adonde les gustaría con su pareja y no logran experimentar todo lo que desearían en cuanto a nuevas prácticas eróticas. Las mujeres tienen gran cantidad de ideas que no experimentan. Quizá encuentren demasiada resistencia por parte de los hombres. En mis investigaciones, dicen que parecen no escuchar ni comprender las señales que les envían.

Sin duda, el acto sexual y la penetración ofrecen sensaciones extraordinarias, irreemplazables... Pero, puesto que todo el mundo lo sabe, me gustaría que habláramos del orgasmo femenino y en particular de algo que la gente conoce mal: la estimulación clitoridiana de una mujer por su pareja, desde los preliminares hasta el orgasmo. Y quiero hablar con todo detalle, puesto que las mujeres dicen que es algo que falta cruelmente en sus relaciones sexuales.

¿Para qué sirve el orgasmo?

¿Cuál es la función del orgasmo femenino? Hasta los años sesenta, se consideraba que las mujeres no tenían orgasmo porque la naturaleza no las había hecho para eso. La principal pregunta teórica que se plantea —y que resulta provocadora— es la siguiente: ¿por qué existe? Cabría afirmar que el orgasmo masculino existe porque el hombre debe fecundar a la mujer, mientras que para quedarse embarazada una mujer no necesita orgasmar. Por lo tanto, si el orgasmo femenino no es necesario para procrear, ¿por qué existe? ¿Por qué el cuerpo lo hace posible? Mi hipótesis es la siguiente: tanto en el hombre como en la mujer, el orgasmo es un mecanismo corporal gracias al cual nos divertimos, pero por medio del cual a menudo no procreamos.

El arte de simular el orgasmo

—*¿Simulan muchas mujeres el orgasmo?*

—Sí. En la época en que realicé mis primeras investigaciones sobre las mujeres, la mayoría pensaba que debía dar la impresión de sentir un orgasmo durante el acto sexual.

—*¿La mayoría?*

—Sí. En particular, las mujeres jóvenes. ¿Pero qué vemos hoy? En general, la mujer no necesita decir si se ha corrido o no; simplemente deja creer que la excitación de que ha dado prueba era sinónimo de orgasmo. Al parecer, esto es lo más frecuente en la actualidad. Y es posible que tanto las mujeres como los hombres se contenten con esta «solución» por el momento, cada uno por sus propias razones. Desde el punto de vista de las mujeres, muchas dirían: «Después de todo, siempre podría masturbarme para correrme, no es eso lo que busco con él. Lo que quiero es ser mimada y probar la magia de la sexualidad entre dos seres... Ser transportada por el arrebato, sentir mi cuerpo despertarse bajo sus caricias... Eso es lo que me hace feliz. Porque si empiezo a remover esos problemas de orgasmo, ni él ni yo seremos más felices sexualmente, y él no querrá nada más de mí; ¿quién quiere a alguien que se queja? Por lo tanto, dejemos las cosas como están».

Por desgracia, nos encontramos ahí. Esperemos que llegue el día en que las mujeres y los hombres se hallen en un estadio en el que se sientan más fuertes y en el que la idea de crear nuevas formas de ser eróticos ya no les parezca una dificultad, sino algo bonito, oportuno y aventurado.

—*Si he comprendido bien, ¿los hombres observan o suponen que la mujer simula, pero se conforman?*

—Probablemente. Pienso que a veces el hombre observa que su pareja no ha orgasmado o al menos tiene serias dudas. Pero ante la idea de plantear la pregunta, ya se imagina que será culpa de ella, en lugar de pensar que si responde que no, podría comenzar a acariciarle suavemente el clítoris mientras le murmura palabras excitantes al oído, hasta que se corra. Para la mayoría de los hombres, no se trata de una pregunta neutra, no llegan a imaginar una réplica positiva a una respuesta negativa. Como mucho, se dicen que deberían haber hecho durar un poco más las cosas. A menos que piensen: «Bueno, ahora me va a pedir que utilice las manos o la boca... Pero tengo sueño, no me apetece». Sexualmente, los hombres no son nada del otro jueves...

—*Todo eso es un poco triste... ¿Cómo cambiar?*

—Si los hombres fueran un poco más listos, harían el esfuerzo de intentar provocar un orgasmo por estimulación clitoridiana *antes* del suyo... Y mientras que ella orgasma, continuarían sintiéndose muy excitados, lo que no resulta desagradable. En la mayoría de las mujeres, el orgasmo no se acaba tranquilamente, como en muchos hombres: a veces están aún más excitadas después de haberse corrido, y muchas experimentan un orgasmo posterior y hasta un tercero.

—*¿De verdad? Una mujer que se ha corrido podría limitarse a tener ganas de dormir, como los hombres.*

—No. Si se considera la manera en que las mujeres orgasman mientras se masturban, se descubre que la mayoría puede tener varios orgasmos. Otros investigadores lo han establecido también. Para una mujer, es muy corriente masturbarse después de tener un orgasmo y alcanzar un segundo y otro más a continuación. Consideremos que un solo masaje no va a producir automáticamente tres orgasmos, lo que significa que las sensaciones duran después de obtenido y que, si se reanuda la estimulación transcurridos unos minutos, es probable que haya un nuevo orgasmo. Muchas mujeres pueden orgasmar tres o cuatro veces seguidas.

Así pues, si tiene estos hechos en cuenta para imaginar lo que una mujer podría hacer con su pareja, puede olvidar su hipótesis de que querría dormir. Es muy poco verosímil.

Es probable que los hombres tengan tendencia a sentir sueño después de correrse, al menos por un momento, porque su cuerpo debe cumplir una tarea —producir y eyacular el esperma— que representa una fatiga adicional. Cabría añadir que en las mujeres subsiste en parte la excitación porque la sangre se va retirando lentamente de las arterias y las venas del sistema clitoridiano. Se dice que los hombres suelen atravesar un periodo refractario de veinte minutos después de haber eyaculado. Otros presentan periodos más prolongados y no sienten más ganas después de haber orgasmado. Las lesbianas afirman que una de las razones por las cuales les gusta hacer el amor con otras mujeres es porque no hay este corte, este problema ligado al tiempo.

—*¿Puede que sepan mejor cómo va la cosa?*

—Les gusta la idea de que nadie decida cuándo se ha acabado... Por ello, no es necesario establecer una especie de gestión del orgasmo, como cuando te dices: «¡Caray, no voy a correrme ahora, sino después; él no va a seguir acariciándome!». Es inútil razonar así, no hay necesidad de reflexionar como si solo fuera posible un orgasmo.

—*En su opinión, ¿deberían hablar antes las mujeres con los hombres para evitar esta frustración? Por ejemplo, diciendo a su pareja: «¿Por qué te duermes ahora? Podrías hacer esto o aquello...».*

—Las mujeres consideran que si le dicen eso a un hombre van a darle la impresión de armar líos, de quejarse. Que van a desmotivarlo para la próxima vez. Por eso la mayoría prefiere evitar esta clase de comentarios.

—*Así pues, ¿no merece la pena decirlo?*

—No. Y por eso las mujeres, en general, buscan una justificación.

«DISCÚLPAME MIENTRAS ME MASTURBO...»

—*Parece afirmar que no hay solución.*

—¡Claro que no! Todo lo contrario. Ofrezco una solución, y tal vez sea además la única en hacerlo. ¿Por qué cree que digo esto? Deje que me explique. La mayoría de las mujeres afirman que no logran nada tratando de explicar a los hombres, intentando hablar. Hace veinticinco años que pasa esto y creo que, en efecto, es cierto que las mujeres observan que hablar no cambia nada en absoluto. ¿Qué otra cosa se puede hacer? Habría que inventar un nuevo lenguaje para hablar de una sexualidad más equitativa —lo pretendemos modestamente hacer aquí, ¿no?—, de nuevas imágenes para alabarla, de la misma manera que lo ha sido durante tanto tiempo la sexualidad centrada en el coito.

Inventar nuevas imágenes del erotismo y la sexualidad en la cultura constituiría un gran paso adelante [véase cap. 8]. En esta conversación intento dibujar para usted nuevas imágenes, nuevos caminos por los que la gente puede tratar de experimentar y compartir su erotismo, intentar interactuar. Se trata de algo muy diferente a hacer un libro de consejos o recetas, con ilustraciones que muestren a la gente probando toda clase de posiciones durante el amor, imágenes «útiles para los hombres y las mujeres», o cualquier cosa semejante, lo que resultaría manido y pesado. Después de tantos años de investigaciones, de trabajos y de libros sobre este tema, creo que lo que necesitamos es desarrollar nuevos escenarios sexuales que no sigan la doctrina reproductora, enriquecer la cultura con nuevas imágenes, abrir nuevos horizontes. En resumen, ayudar a la metamorfosis que se está produciendo.

Sin duda, introducir la igualdad del orgasmo y de otras cosas más en el esquema reproductor tradicional será un inmenso paso adelante: todavía no hemos llegado a ello. Pero, francamente, para que la gente se sienta a gusto en la sexualidad, hace falta inventar un nuevo vocabulario de sensaciones sexuales, un «vocabulario del cuerpo», de las diferentes maneras en que la gente puede tocar y ser tocada.

¿Por qué dice que no hay solución? ¿Quieren los hombres hacer a las mujeres más responsables que ellos —o a nadie, es decir, a la historia y la tradición, opción que sería más correcta— de esta situación? No deseo criticar a nadie; no hago más que proponer diversas alternativas e ideas, y quizá hable por muchas mujeres...

Querer cambiar la sexualidad pidiendo a las mujeres que enseñen a los hombres, requiriéndoles que les expliquen con educación lo que hay que hacer, es responsabilizarlas por completo, lo que no sería justo. Las mujeres no tienen que ser las guardianas de la moral o las «humanizadoras» de los hombres, considerados «animales». Pensaba que por fin nos habíamos desembarazado de ese cliché. Por otra parte, las mujeres lo han intentado durante casi treinta años y no han logrado gran cosa. Es posible que al obtener mayor poder económico consigan más poder sexual. (Pero siguen ganando menos dinero que los hombres.) Si un hombre está abierto a lo que le dice una mujer, puede funcionar en una pareja dada; pero con frecuencia, como muestran las investigaciones, las mujeres cuentan que repiten las mismas cosas una y otra vez y que solo logran sobrecargar la atmósfera: el hombre se escapa, acusando a la mujer de buscar pelea, de criticarle por no poder hacer más; todos los estereotipos de la mujer persiguiendo al hombre surgen en esta especie de escenario tragicómico. Por eso no creo que su sugerencia de aconsejar a las mujeres que simplemente digan las cosas sea acertada, aunque a veces funcione.

Es igualmente responsabilidad de los hombres transformar la institución sexual, aunque sean las mujeres quienes tengan la clave del futuro para revisar las ideas sobre la sexualidad, el erotismo y la política sexual en general, en la medida en que su orgasmo se convierta en el símbolo central de una nueva mentalidad.

—*¿Por qué tantos hombres reaccionan tan negativamente cuando una mujer intenta hablar?*

—¿Quizá experimentan de forma inconsciente un sentimiento de culpabilidad por haber «oprimido a las mujeres» durante todos estos siglos, y porque ese sentimiento surge en ese momento preciso, simbolizado por el hecho de que el hombre se corre pero no la mujer? Sin duda, una mujer siempre puede decir: no vayas tan rápido, hazme esto o eso... Pero también puede hacer algo mejor: jugar con su cuerpo durante el amor, masturbarse permaneciendo muy próxima a su pareja y mostrando que se encuentra bien con su cuerpo. Este estado de ánimo es contagioso y dará al hombre una idea mejor de quién es la mujer sexualmente hablando. De todos modos, cabe comprender que para una mujer pueda ser difícil hacerlo, puesto que se le ha inculcado que es el hombre quien lleva la voz cantante en la institución de la sexualidad.

Pero, francamente, las mujeres no necesitan autorización para cambiar las instituciones, ¿no? Si son capaces de reinventarse y de reinventar la sociedad, también deben, cuando hacen el amor, escuchar lo que les dice su cuerpo y expresarlo. Si una mujer siente ganas de tener un orgasmo enseguida, debe hacer lo que sea preciso para ello, jugar con sus manos y con su cuerpo con la mayor libertad posible, manteniendo un contacto erótico intenso con la otra persona: para orgasmar, no tiene necesidad de marcharse de la habitación.

—¿No piensa que a algunos hombres no les gustará ver que la mujer se pone a masturbarse?

—No sea tan negativo, por favor. No; yo pienso que a los hombres les gusta mirar a una mujer procurándose un orgasmo. En mis investigaciones, la mayoría dice que lo encuentra —o encontraría— erótico, pero además instructivo. Después de todo, eso les aligera de la presión a que están sometidos y al mismo tiempo les libera. Está claro que no les gustaría que una mujer se enfadara y les rechazara, diciendo: «Discúlpame mientras me masturbo, pero es que tú no sabes hacerlo». Es evidente que no es eso lo que sugiero. Para una mujer, masturbarse delante de un hombre o con un hombre exige mucho valor. Como los hombres, las mujeres son tímidas en lo referente a la masturbación (la gente la suele realizar en secreto). Pero este tipo de interacción no debe degenerar en actitudes como: «¡Mírame cómo me exhibo!». El hombre o la mujer pueden acariciarse a sí mismos mientras su cuerpo se estrecha contra el de su pareja, abrazándola y murmurándole fantasías o todo lo que se le pase por la cabeza. Dicen algunos que es maravilloso tener las manos sobre tus partes íntimas mientras la otra persona te aprieta entre sus brazos. La mayoría de los hombres afirman que lo encuentran extremadamente excitante, que les encanta ver que la mujer se vuelve atrevida y les muestra cómo lo hace. Todo consiste en la actitud.

—*Sí, sin duda; pero hay mujeres que no conocen el orgasmo, las llamadas «frígidas». ¿Qué pueden hacer ellas?*

—Reina una gran confusión en la mayoría de las estadísticas que he podido ver: ¿eso significa que las mujeres en cuestión jamás han tenido un orgasmo, en ninguna circunstancia, o que no lo han tenido durante el acto sexual? En mis investigaciones, solo el 7 por 100 de las mujeres se encuentran en la primera categoría; la mayoría de ellas rehúsan masturbarse —y, de este modo, aprender a orgasmar— con el pretexto de que quieren ser de las que «se reservan para el hombre de su vida».

Solo una pequeña minoría no llega al orgasmo. A ellas les recomendaría la lectura del *Informe Hite* sobre la sexualidad femenina, donde se descubre cómo las numerosas mujeres que dan testimonio logran hacerse orgasmar. Luego pueden probar algunos de esos métodos.

Sucede que las mujeres jóvenes rehúsan masturbarse a partir de una cierta edad, debido a la idea de que es en el acto sexual donde conocerán el orgasmo. Entonces hacen el amor, pero no hay orgasmo, y eso les preocupa enormemente. Saben que alcanzan un alto grado de excitación y a veces piensan que eso es el orgasmo. Como a su entender el orgasmo resultante del acto sexual debe ser algo muy distinto de lo que han conocido al masturbarse solas, imaginan que cualquier cosa fuerte durante el acto es otra clase de orgasmo (lo que se podría denominar un orgasmo emocional, me parece). A veces, algunas mujeres suponen que han tenido un orgasmo durante el coito y creen que ha estado bien, pero que no lo han podido percibir del todo «porque él estaba moviéndose en mí, así que era difícil concentrarse, y tal vez el hecho de ser penetrada y de correrse al mismo tiempo impide la percepción del orgasmo», etc. Muchas mujeres sienten, en efecto, una especie de culminación durante el coito, que consiste en un pico de excitación física o emocional. Sin duda, es bueno disfrutar de todas estas sensaciones sexuales; el verdadero problema surge cuando una mujer no tiene ninguna oportunidad de conocer un orgasmo real con otra persona debido a la definición restrictiva de la sexualidad.

—*¿Existen mujeres que no obtienen orgasmos ni siquiera mediante la masturbación?*

—Muy pocas. Más del 90 por 100 orgasman masturbándose. Algunas no se masturban porque no saben cómo hacerlo. Tratan de abstenerse porque les han dicho que era algo inmaduro.

APRENDER EL ARTE DE LA CARICIA

—*Bien. Así que un hombre debería acariciar a la mujer con la mano para hacerla correrse. ¿Qué problemas plantea esto?*

—Algunas mujeres afirman que los hombres que comienzan a aprender la estimulación clitoridiana lo hacen como si tocaran el planeta Marte. En el fondo, si la mujer siente que el hombre no tiene verdaderas ganas de hacer lo que está haciendo, evidentemente le costará orgasmar. Si el hombre manifiesta temores, falta de experiencia o de entusiasmo, incluso irritación, la mujer se sentirá bloqueada. Voy a explicar ahora cómo puede hacer el hombre para sentirse en mayor conexión con su cuerpo y compartir más. Pero se precisa una pequeña lección de anatomía...

53

En mis investigaciones se pone de manifiesto que a veces el hombre se asombra de que la mujer desee que la acaricie en ese lugar, y sencillamente le dice: «Bueno, voy a hacerlo ya que me lo pides, pero no tengo la menor idea de por qué...». En un caso como este, el hombre envía una señal que no se percibe como muy positiva o inspirada, y mucho menos apasionada. Si la mano que la acaricia parece blanda o indecisa, por ejemplo, al no mantener un ritmo regular o una presión ligera (no muy fuerte), la mujer comprende que el hombre no quiere sinceramente que orgasme de esa manera. Entonces se siente tonta e insultada.

—*Pero no es fácil para un hombre. El sexo de una mujer no es una cosa sencilla: su mano puede estar en un mal lugar, en un mal momento...*

—También es verdad, pero pasa lo mismo con lo que las mujeres saben del pene. Si una mujer quiere acariciar a un hombre con la mano, debe observar sus reacciones para saber si lo hace bien, con el ritmo adecuado, la presión precisa de los dedos, etc. La mayoría de las personas piden a sus parejas que las ayuden. En primer lugar, si quieres comprender verdaderamente a tu pareja, hombre o mujer, puedes pedirle que se masturbe, pues así verás dónde se toca y de qué forma, y podrás intentar hacer lo mismo. En general, funciona. Es probablemente una buena idea, cualquiera que sea tu pareja.

ÓRGANOS MUY PARECIDOS

Al mismo tiempo, sería bueno tener un conocimiento elemental de la anatomía, femenina y masculina, cualquiera que sea el género al que se pertenezca. He aquí, pues, la pequeña «lección» prometida. Desde el punto de vista anatómico, los dos cuerpos, masculino y femenino, tienen mucho en común.

Si los hombres conocieran mejor la anatomía femenina, podrían comprender qué estimulaciones necesitan las mujeres y por qué se tocan donde lo hacen. Pensemos en esto: cuando se masturban, la mayoría de los hombres se acarician cerca de la punta del pene, mucho más que hacia la base. Esta parte superior del pene es, grosso modo, el equivalente de la región púbica de la mujer, es decir, el borde superior de la vulva. En el embrión, masculino y femenino, los órganos sexuales son internos durante los tres primeros meses. No hay diferencia, son idénticos. Al tercer mes, los órganos del bebé masculino pasan al exterior del cuerpo, mientras que los de la niña se quedan en el interior. Así pues, los órganos de los dos sexos comienzan con el mismo material; después se vuelven ligeramente diferentes, pero siguen conservando mucho en común. Como el cuerpo femenino no ha sido objeto de suficientes investigaciones y durante siglos se ha comprendido mal —y, en numerosos aspectos, sigue esa ignorancia en la actualidad—, hasta hace poco no se ha sabido de cierto hasta qué punto son similares las anatomías sexuales masculina y femenina.

En mis investigaciones, he preguntado: «¿Dónde sientes el orgasmo?». Los hombres han respondido que, aunque se acarician sobre todo cerca del glande, es en lo profundo del cuerpo donde sienten el orgasmo, mucho más abajo y detrás del pene. En otras palabras, estimulan una parte para sentir «el acontecimiento» en otra parte, más profunda, en el interior del cuerpo. Pasa lo mismo en el caso de las mujeres. La estimulación se concentra en el extremo superior de la vulva, pero la verdadera sensación, y quizá también las contracciones, se producen alrededor de la región vaginal: todo se proyecta al interior del cuerpo. Esto puede sorprender: ¿por qué hay que estimular un lugar cuando la «sensación agradable» (el orgasmo) se produce en otra parte? Baste decir: verás cómo funciona.

Algunos se preguntan, aunque no se atrevan a plantearlo: «¿Por qué la naturaleza no ha colocado el clítoris más cerca de la abertura de la vagina?».

—*Iba a hacerlo...*

—Esta cuestión tiene muchísimas connotaciones desde el punto de vista cultural: ¿por qué debe conformarse todo a la concepción reproductora de la sexualidad? La verdadera solución no se encuentra en una noción tan rígida como la de la sexualidad. ¿Por qué tenemos que hacer entrar un objeto cuadrado en un agujero redondo?

COGE LA MANO DE TU PAREJA O UTILIZA LA TUYA

—*Se necesita una profunda intimidad para mostrar a tu pareja lo que más te excita, ya seas hombre o mujer. ¿Puede existir también entre dos personas que no se conocen bien?*

—¡Eso puede crear la intimidad! Creo que si las personas tratan de hacerlo bien, lo acaban logrando, siempre que no se queden cada uno en un lado de la habitación, observándose como ratas de laboratorio. Pero no es tan difícil, mientras que esa revelación íntima forme parte de un momento de alegría y placer: «Deseo de verdad estar contigo», «Me excitas...», etc. Puedes mostrar a tu pareja cómo hacerlo o, sin vacilar, practicar tu propia estimulación. Del mismo modo, para un hombre existen toda suerte de maneras excitantes de mostrar su cuerpo y sus deseos a una pareja, ¿no?

Para la mujer, uno de los modos de disminuir las inhibiciones consiste en coger la mano de su pareja y colocarla sobre su cuerpo. Cuando los dos amantes participan, no es tan espantoso. En mis investigaciones, muchas han procedido así, aunque lo consideren una iniciativa muy atrevida. Pero eso crea de inmediato intimidad. ¿Y no piensa que él también puede mostrarse tierno y confiado para estimularse a sí mismo mientras permanece muy cerca de su pareja?

Según mis investigaciones, si casi la totalidad de las mujeres aprecian la estimulación clitoridiana ejercida por la mano de su pareja, cerca de la mitad consideran que el cunnilingus es la estimulación más excitante: con su boca o su lengua, la pareja puede realizar una caricia caliente, suave y húmeda. Por otra parte, el cunnilingus es una caricia «exclusiva», pues la mujer no puede proporcionársela ella misma, lo que, como en la felación, otorga mayor importancia a la pareja y contribuye al acercamiento de ambos.

—*¿Deben hacerse reproches a la pareja que no acaricia el lugar apropiado?*

—Esta es la razón por la que aconsejo coger su mano para guiarla. Está particularmente indicado porque el lugar excitante ideal un día puede que sea otro mañana. No hay ninguna razón para hacer reproches porque la pareja no encuentre el lugar adecuado y necesite ayuda. Hay que pensar que ni siquiera tú mismo sabes cada día cuál es el lugar que te dará más placer cuando te masturbas; cambia ligeramente de un día a otro o de la mañana a la tarde. Así pues, nada de reproches.

Sucede que la mujer no se atreve a tocarse ni a mostrar al hombre cómo hacerlo con su mano en su clítoris, y menos aún abandonarse al autoorgasmo en su presencia, por temor a que haga un juicio negativo sobre ella. Tiene miedo de que él sienta que lo deja de lado y adopte la actitud típica de la ley del embudo. De hecho, se pregunta qué va a pensar de ella. Se encuentran los temibles estereotipos como: «una mujer así», que se muestra tan liberada, es a la fuerza «una guarra», «una obsesa», «nada seria», «debe de tener mucha experiencia...».

—*¿Existe hoy ese tipo de cliché?*

—Sí, esos temores siempre hacen su efecto. Como he dicho a propósito de la mujer que ofrece una felación, muchas mujeres en mis investigaciones piensan que se las va a encontrar lascivas y obscenas, unas guarras, como las chicas de la pornografía. «Él va a pensar que no se me puede tomar en serio, que no soy una *mujer para casarse.*»

—*Lo que da una curiosa idea de la «mujer para casarse».*

—Sí. ¿Qué es una mujer para casarse? Si el sexo es sucio y si una mujer respetable debe prestar atención a su manera de ser *sexy* —y sobre todo nada vulgar—, entonces sin duda los hombres pueden casarse con mujeres con las que no tendrán una relación sexual muy buena. Sostengo que, a pesar de los esfuerzos que hacen las mujeres para ser modernas y no estar, como dicen, inhibidas —término que detesto— en relación con el sexo opuesto, esas corrientes de fondo y esos prejuicios siempre están activos, de tal modo que algunas pueden ser juzgadas como «demasiado sexuales». Estos prejuicios son capaces de impedir que las mujeres se atrevan a tener experiencias y a mostrarse imaginativas, de bloquearlas en sus tentativas de establecer una relación física diferente. Las imágenes pornográficas que inundan nuestra conciencia no ayudan.

—*Así pues, ¿qué es para los hombres una mujer para casarse? ¿Una mujer con la que tendrán hijos, pero a la que engañarán para vivir una «sexualidad verdadera» con otra? ¡Es una visión terrible!*

—Ese cliché proviene de imperativos culturales que no han muerto. Su dinámica sutil puede sorprender a la gente que no se la espera. Los clichés no se reproducen de forma deliberada. En la actualidad, es de la pornografía de donde la gente saca lo esencial de sus representaciones de la sexualidad femenina. Las chicas, en la gran mezcla de cosas, crecen con esas imágenes, y los chicos también. La sexualidad se confunde con la pornografía. Esta destila el mensaje de que «esas cosas solo las hace *ese tipo de mujer,* el animal del sexo». Si denuncio la mentalidad que estas imágenes originan [véase cap. 4: «La pornografía o la leyenda de la bestia indomable»], tanto en la cabeza de las mujeres como en la de los hombres, no es por negar los numerosos efectos positivos de la revolución sexual. Tampoco creo caer en el defecto consistente en asumir todas las consecuencias de la «nueva sexualidad liberada». Solo pretendo mostrar que, frente a esta oleada de imágenes pornográficas, a las mujeres les cuesta reflexionar serenamente, encontrar su identidad sexual, imaginar lo que podrían ser.

SEXUALIDAD, IGUALDAD, ORGASMO

Las mujeres tienen derecho a experimentar y descubrir quiénes son sexualmente, sin ese fárrago de imágenes caricaturescas que bloquean su reflexión. Y también sin la presión que representa una sexualidad centrada en el coito y la obligación de «complacer a su hombre» primero. Pero creo que todavía estamos muy lejos.

—*¿Quiere decir que una mujer no tiene la elección real de hacer y ser lo que quiera?*

—Vivimos en una sociedad tan llena de deberes y prohibiciones sexuales que estoy tentada a decir que no cuenta con la menor oportunidad de descubrir lo que le gusta y lo que quiere. Sin exagerar, cabe afirmar que las mujeres saben perfectamente cómo tener un orgasmo, pero en lo referente a elaborar una relación física novedosa con una pareja apenas han tenido posibilidad de avanzar, ni de intentar experimentar nuevas vías, ni tampoco los hombres. Puesto que las mujeres han sido las menos liberadas por la institución llamada sexualidad, quizá serán ellas las primeras que tomen la iniciativa. No obstante, por ahora se constata una fuerte tendencia a seguir las rutas de la institución sexual, de lo que son las relaciones sexuales. Recurriendo a lo contrario de la «pasividad sexual» de los tiempos pasados, nos encontramos de nuevo frente a la imagen dominante de una mujer agresiva que choca, pero no es más que la imagen invertida de la tradición y solo se la ridiculiza, sin trascenderla ni construir una nueva sexualidad que contribuya a crear una nueva sociedad.

De todos modos, el hecho de que una mujer muestre a un hombre cómo orgasma gracias a la estimulación clitoridiana constituye un progreso enorme, y muchas lo hacen. Aprender juntos cómo lograrlo es un gran paso. Hace falta valor: como he dicho, no se enseña a cualquiera lo que haces en la intimidad.

—*¿Y los hombres? ¿Ven la sexualidad, comprenden la suya desde un nuevo ángulo?*

—Mis investigaciones muestran que así es en el caso de algunos, pero la visión de los hombres que ha suscitado la aparición de la Viagra, en el momento en que se convirtió en un tema mediático, es deprimente. La mayoría se ha apresurado a seguir el movimiento, aceptando de entrada el mensaje subyacente: lo único que cuenta, lo más crucial para «una experiencia sexual satisfactoria», es tener una erección.

Los hombres aún tienen muchas preguntas que plantearse para saber si su sexualidad sale ganando en la concepción que seguimos manteniendo hoy, tal como se ha predefinido para ellos [véase cap. 4]. Este sistema es su aliado, ¿o no?

—*Naturalmente, había buenas razones comerciales para afirmar que tener una erección es importantísimo; pero el men-*

saje subyacente jamás se ha puesto realmente en tela de juicio en los artículos de prensa dedicados al medicamento...

—Todas esas historias sobre la Viagra y los hombres me recuerdan que, aunque muchos no consideren que la erección tiene una importancia crucial, sí piensan que es lo que cree la mayoría restante. Y no les apetece en absoluto contradecir a sus semejantes en este tema. Esos artículos de prensa han perjudicado a los hombres: al repetir sin cesar y sin ánimo de crítica los mismos clichés, se ha dado crédito a la idea de que no había más que una opinión acertada posible; los que pensaban de otra forma, hastiados por ese machaconeo, han acabado diciéndose: «Muy bien, admitamos que esa es la verdad... Si todo el mundo acepta esa idea, así debe de ser; si no, ¿por qué los medios de comunicación la repiten sin cesar?; eso debe de ser también lo que piensan las mujeres».

Los medios de comunicación se han ocupado mucho de otro tema relacionado con la sexualidad: el sida. Al principio, se debatía que los contactos anales constituían el vector más probable del virus. En la actualidad, esos detalles ya no se mencionan mucho. Todo lo que se escucha es: «Ponte un preservativo». En su opinión, ¿cuál era el mensaje subyacente en todo el debate sobre el sida? ¿Que hacer el amor con otro hombre no es un problema, salvo que se puede morir, o qué?

LA INVOLUCIÓN MORALISTA

—*¿Sus estudios han puesto en evidencia el papel actual de ciertos valores morales de la sociedad?*

—Sí. Se observa un amplio regreso de la moral contra la revolución sexual y los derechos de la mujer, bajo la forma de un debate pseudorreligioso que proclama que la «civilización se derrumba», en el sentido de que la familia —es decir, el papel de las mujeres en la sociedad— cambia, que «la gente pierde sus referentes morales, se vuelve más libre», sobreentendiéndose «pecadora». Uno de los temas abordados con mayor frecuencia en este contexto es el aborto, pero hay muchos otros; por ejemplo, el elevado número de divorcios («la gente es egoísta»). El movimiento de regreso a los valores «morales» forma parte de un pretendido despertar cristiano —en realidad, fundamentalista religioso—, con sus ideas fijas y rígidas sobre la pureza de la mujer: la sexualidad femenina se contempla como impura fuera de ciertas formas de matrimonio.

En la época en que realicé las primeras investigaciones para el *Informe Hite* sobre la sexualidad femenina, aún no se había iniciado este movimiento fundamentalista. Sin embargo, a lo largo de esos primeros trabajos, las mujeres no cesaron de insistir en el hecho de que había un doble rasero en materia de moralidad y del juicio aplicado a las mujeres, que la gente tenía más prejuicios hacia las que se interesaban por su sexualidad y la asumían: ese tipo de mujeres podía verse de manera más negativa. Pero en esta época todo el mundo esperaba que desapareciera el sistema de doble rasero y nadie pensaba que, por el contrario, fuera a recobrar tanta fuerza y a representar tal peligro. El ejemplo más extremo lo constituyen Afganistán e Irán, donde los que se decían revolucionarios han derrocado a los gobiernos que practicaban una política más liberal hacia las mujeres y se han dedicado activamente a reducirlas al rango de esclavas a golpe de lemas sobre la «pureza religiosa» y la «pureza sexual de las mujeres», no vacilando en asesinar a las más refractarias.

En Occidente, en nuestros días, las actitudes negativas hacia las mujeres se refuerzan una vez más. Este resurgimiento está fomentado en parte por el disgusto, muy comprensible, que sienten muchas hacia la pornografía y las imágenes publicitarias asociadas con la sexualidad femenina. Es fácil comprender por qué reclaman una sexualidad «más espiritual». A menudo no ven que esta visión, individualmente un hecho muy comprensible, se inscribe, sin embargo, en un movimiento general muy retrógrado.

Desde luego, después de los acontecimientos de septiembre y octubre de 2001, la atención mundial se ha centrado en la situación de las mujeres afganas y cabe esperar que muchos en cada país hayan establecido la diferencia entre la necesidad legítima de familias y amor, y las tentativas de obligar a las mujeres a no ser más que madres, negándoles el derecho al trabajo y la educación.

En Occidente, la influencia de la actitud antisexo («las mujeres deben permanecer puras») se oculta bajo las cosas más pequeñas. Por ejemplo, durante los años setenta, nadie ponía en entredicho las ventajas que representaba utilizar un tampón introducido en la vagina para absorber el sangrado menstrual, comparado con las compresas colocadas alrededor de la vulva en las que se recoge la sangre. Sin embargo, en los años ochenta cada vez se hizo más frecuente escuchar a las jóvenes decir que ya no utilizaban tampones, sino solo compresas. Cuando se les preguntaba por qué, respondían: «Creo que el flujo debe bajar naturalmente; no es bueno bloquearlo con un objeto». Es probable que el exagerado debate suscitado sobre un posible choque tóxico formara parte del síndrome político. En otras palabras, si quieres realmente ser virgen, no metas las manos en ese lugar: «No debe ir nada donde *él* irá», se decía.

Este no es más que un ejemplo de la forma en cómo una especie de moralismo tradicional ha hecho retroceder a las mujeres —y con ellas a los hombres y a toda la sociedad— en una dirección que no les beneficia en absoluto.

«IMPUREZA» Y SEXUALIDAD FEMENINA

—*Entonces, ¿por qué son susceptibles las mujeres hasta tal punto de adoptar esas ideas de pureza moral si obstaculizan su libertad mucho más que la de los hombres?*

—Las mujeres, blanco durante siglos de estereotipos engañosos sobre su moralidad, se sienten en peligro si no demuestran que son «buenas y puras». Basta recordar las hogueras sobre las que, durante siglos, se las ha quemado (y, por lo tanto, asesinado): hasta hace muy poco, no se ha percibido cuán profundos eran esos estereotipos y temores. Por ello, con frecuencia sienten confusamente que deben probar una y otra vez su lealtad hacia un hombre, demostrarle su amor: «Si le soy completamente fiel, haga lo que haga, si me consagro a él, seré aceptada y considerada como la excelente mujer que soy, no solo por él, sino por toda la sociedad».

A veces, se ha tenido la impresión de que las mujeres quieren purificarse de algo inaceptable. (¿Pero qué es eso inaceptable?) La esperanza es que cuanto más lo intentes, más se te aceptará y considerará por lo que eres. Puede ser muy difícil para ellas darse cuenta de por qué corren tras su legitimidad y por qué esa tendencia es casi irresistible. En nuestra mitología tradicional, la más aceptable de las mujeres es María, que tuvo un hijo conservándose asexual, si bien ninguna mujer la podrá igualar nunca. En muchos casos, estar embarazada confiere legitimidad a las mujeres. Pero el camino está sembrado de emboscadas: si una mujer llega a la maternidad, en cierto sentido se convierte en un estereotipo. Pero si no lo hace, se transforma en otro.

El sistema está concebido de tal manera que pocas pueden ajustarse totalmente a él y seguir siendo ellas mismas, y de este modo vuelven a encontrarse en una posición muy incómoda.

Les hace falta mucho valor a los hombres y a las mujeres para llegar a ser ellos mismos en medio de tantas presiones sociales; y su identidad sexual no es el elemento menor. Desmontar y reexaminar la institución de la sexualidad será de gran ayuda. Lo que yo creo es que, como sociedad, estamos comprometidos en un proceso de revaluación de nuestros valores y de las categorías «mujeres» y «hombres», que desembocará en una síntesis de valores antiguos y nuevos.

«¡GUSTA A TU HOMBRE!», VERSIÓN PSICOLÓGICA DEL CHADOR ORIENTAL

—*¿Piensa que tienen tendencia a volver otros clichés que se creían desaparecidos?*

—Sí. Los estereotipos sobre la sexualidad femenina transmitidos por los medios de comunicación —así como las afirmaciones que nos saturan sobre la sexualidad masculina— han creado un espacio favorable para el regreso de otros clichés caídos en desuso, retocados y servidos a las mujeres para mostrarles lo que es la «verdadera mujer sensual de hoy». Por ejemplo, los medios de comunicación nos dicen, mediante la imagen y las palabras, que la única manera de ser verdaderamente *sexy* es parecerse a los modelos que ofrecen, incluso al de la denominada nueva pornografía, que no es más que la vieja pornografía vestida diferente: «¡Gusta a tu hombre!».

La nueva forma de «gustar a su hombre» es ser descarada, tener de preferencia alrededor de veinte años y decir cosas como: «Ningún hombre me toca», «Tengo buena facha, me basto a mí misma y no necesito hombres». La «nueva mujer» debe tener estilo y parecer independiente (de hecho, la apariencia del feminismo). En realidad, el estilo en cuestión en el caso presente es semimasculino, de una falsa dureza: «No me fastidies, estoy ocupada». Mostrarse abierta y comunicativa es anticuado. Tener estilo es la manera de la cultura pop de ser feminista, la «nueva mujer que conoce sus derechos». No obstante, este estilo no refleja una independencia verdadera, no es más que un barniz superficial, una coquetería provocadora, tan conformista como los antiguos modales femeninos. De todos modos, tal vez suponga un progreso si ese estilo hace referencia, aunque sea bajo la forma de caricatura, a la «nueva mujer feminista»...

Se introducen en la cabeza de las mujeres clichés como: «No seas demasiado *sexy*, parecerás vulgar, se te tomará por un pendón. Hay que tener pinta virginal, "clase", "parecer difícil de alcanzar", "estar por encima de eso" [la sexualidad]». Conocemos todos esos clichés. Estas actitudes, que hacen que una mujer sea «demasiado *sexy*» o no y definen su «clase» en función del estilo de que hace gala o no y su sexualidad [en lo referente a la ropa y el corte de pelo en particular, véase cap. 8], forman parte del sistema de doble rasero secular que se le aplica, según el cual es «una de esas» o «alguien bien». Este sistema lleva a las mujeres, que, después de todo, no son de piedra, a desarrollar una doble identidad, puesto que les cuesta integrar cuerpo y espíritu, las dos caras de su ser. En mi opinión, el chador tal vez sea y constituya a veces una versión visible y exagerada de una psicología que también está presente en las/los occidentales.

En los últimos años, las mujeres han intentado combatir los clichés sobre ellas, en su cabeza y su corazón, para expresar mejor su propia identidad y luego recrearla, conservando las partes que les gustan y desechando el resto. Han recorrido un buen trecho en este campo. Sin embargo, al mismo tiempo, han sentido una fuerte presión para mostrarse *sexy* y provocadoras, pero sin que se las tome en serio en función de sus simples méritos personales. Después de todo, en lo referente a la sexualidad, no desaparecerá el cliché de la pureza sexual de la mujer si para resultar «sexual» debe comportarse justo de la manera contraria, es decir, exagerando de forma vulgar los comportamientos y deseos que la sociedad le consiente. En otras palabras, aunque las mujeres hayan hecho enormes progresos, muchas los han conseguido replanteándose —exteriorizando o interiorizando— su identidad sexual bloqueada por viejos estereotipos sexistas. Para la mayoría, ha resultado más fácil ser ellas mismas o realizarse plenamente cuando no intentan mantener al mismo tiempo una relación con un hombre al que aman de forma apasionada, o tener relaciones sexuales con él. ¿Por qué? Tal vez porque los clichés son demasiado fuertes: una corriente de fondo en apoyo de los viejos papeles tradicionales tendrá la fuerza suficiente para arrastrar al hombre y a la mujer, lo que no significa que se deban evitar las relaciones amorosas, sino solo que, en el futuro, el amor debería poder combinarse con una igualdad verdadera, sin que el uno o el otro tuvieran que sufrir.

Nado a contracorriente de las concepciones mediáticas sobre el sexo y la sexualidad de las mujeres. No obstante, hay un dato muy bueno: el orgasmo femenino se comprende mejor que antes en un cien por cien, incluso un mil por cien, lo cual es ya un progreso inmenso.

EL SIGLO DE LAS MUJERES, ¿PARA CUÁNDO?

El orgasmo y el dinero son dos símbolos importantes con respecto a la posición y el poder de las mujeres, unas guías útiles para medir ese concepto huidizo que es la igualdad.

Se ha escuchado decir miles de veces que el siglo XXI será el de las mujeres. Pero ya ha llegado, y si sumamos las que ocupan funciones muy elevadas en la política o las instituciones —incluso teniendo en cuenta a Margaret Thatcher— no iríamos muy lejos. ¿Cuándo dirigirá una mujer el gobierno en Estados Unidos o Alemania? Aún falta mucho.

—*De acuerdo, ¿pero supondría eso algún cambio para el resto de las mujeres?*

—Quizá no cambie gran cosa tener una mujer-coartada que nunca se ocupe de los temas que conciernen a las mujeres, justamente como Thatcher. Por otra parte, tengo amigas que han crecido en Inglaterra mientras ella era primera ministra. Ahora están en la treintena y piensan que el hecho de saber que una mujer podía regir el país les ha servido. En un plano subliminal, tendrá un efecto positivo. Si las mujeres tienen más poder, dinero e influencia sobre la sociedad en general, creerán mucho más en sus derechos propios en el terreno de la sexualidad. Los avances corren parejos.

Pero el problema general que subsiste, y las estadísticas lo prueban, es que los salarios de las mujeres no han mejorado de forma significativa en comparación con los de los hombres, lo cual es bastante chocante. En toda Europa, según las cifras de la Unión Europea, las mujeres ganan del 20 al 30 por 100 menos que los hombres. Es cierto que hablar de dinero y sueldos no está muy de moda entre las mujeres, aunque el debate sobre la paridad se haya seguido mucho en Francia recientemente. Conseguir que las cosas cambien en ese campo parece tan difícil que muchas mujeres, por miedo a volverse negativas o frustradas, prefieren interesarse en otras cosas. Además, aunque en los años setenta y ochenta ser feminista y luchar por sus derechos y su salario era más que nada moderno, después pasó a percibirse como algo terriblemente retrógrado hasta hace muy poco. El cambio se ha producido con el debate sobre la paridad en Francia y la guerra general emprendida contra el régimen retrógrado de Afganistán, en el cual los derechos de las mujeres se habían reducido a cero.

Básicamente, la mayoría de las europeas piensan que han obtenido sus derechos como mujeres. Por otra parte, algunos medios de comunicación no dudan en afirmar que también han obtenido su derecho a la sexualidad y que son «dueñas de sus cuerpos». Sin embargo, la reciente Declaración de Naciones Unidas sobre los derechos de las mujeres [Pekín, 1995] no deja ninguna duda: las mujeres desean y necesitan avanzar más, no solo en las regiones del mundo donde son notoriamente explotadas, sino también en Europa. Mis investigaciones demuestran que, en el plano sexual, sienten que aún no se han convertido por completo en «quienes son», por parafrasear a Simone de Beauvoir, quien decía que «una mujer no nace, se hace». En efecto, todavía queda una buena distancia que recorrer entre su identidad sexual y los límites que el contexto o la institución les imponen.

Desde el punto de vista financiero, las europeas aún no comparten la posición ni los poderes de los hombres: sus ingresos son significativamente inferiores. El sistema funciona diciendo, por ejemplo, a las empleadas jóvenes: «Las cosas han cambiado, van cambiando, pero tened paciencia». Sobre este tema, se puede consultar mi libro *Sexo y negocios*. Las cosas suelen suceder del modo siguiente: cuando una joven se acerca a la treintena, un espíritu caritativo le dirá: «Te aburres en este establecimiento. ¿No serías más feliz si tuvieras hijos? Deja este trabajo tedioso, no lo necesitas...». Así pues, las mujeres sufren fuertes presiones psicológicas y personales para no «mover el barco», para encontrar una solución en la familia o permanecer con tranquilidad en una posición anónima, para no desafiar demasiado abiertamente al sistema.

—*¿Qué conclusión se puede extraer sobre el terreno de la sexualidad? ¿Cuál será el lugar del orgasmo femenino en el futuro? ¿Una prueba de igualdad sexual?*

—Sí. Después de todo, no es justo ni equitativo que nos amoldemos a una institución sexual en la que los hombres experimentan siempre un orgasmo mientras que las mujeres deben pasar sin él la mayor parte de las veces. Es posible que la sexualidad cambie poco a poco y que el orgasmo no sea ya la última meta; nadie quiere una carrera hacia él.

Pero, por otra parte, puesto que en el pasado las mujeres se han visto obligadas a esconderse para conocer el orgasmo mediante la masturbación secreta, experimentarlo en adelante a la luz del día, con una pareja, es un signo de valor personal, de dignidad, de altivez —de orgullo bienvenido— y de cambio a mejor.

2
¿MALOS TIEMPOS PARA LOS HOMBRES O EL MEJOR DE LOS MUNDOS?

—*La sexualidad femenina ha conocido cambios inmensos. ¿Cuáles son sus consecuencias para los hombres y su sexualidad?*

—Me gustaría presentar una concepción radicalmente nueva de la identidad sexual de los hombres.

Sin duda, pueden salir realmente ganando con estos cambios (es decir, de la igualdad entre mujeres y hombres, de la nueva comprensión de la identidad de las mujeres, etc.) si los afrontan con objetividad y sin preguntarse qué van a pensar los demás hombres. Se considera a menudo que los cambios ocurridos en la sexualidad femenina a lo largo de los últimos veinticinco años no conciernen nada más que a las mujeres: «¿Han resuelto —se preguntan— sus problemas de orgasmo, sus inhibiciones?». En realidad, estos cambios tienen consecuencias considerables para los hombres, y otros tantos beneficios. Pero para sacarles el mayor provecho el hombre debería hacer un recorrido por sí mismo, una especie de cara a cara sincero, y preguntarse qué es un hombre sexualmente hablando, cuál es su identidad propia, qué sentido quiere darle a su vida, cuáles son sus necesidades y sus deseos más auténticos en cuanto a sexualidad. De ahí podría surgir una revisión fundamental de la sexualidad masculina tal como está definida para hacer de ella una verdadera riqueza interior.

Muchos hombres cambian, pero otros parecen contentarse con las reglas que les han inculcado sobre cómo se supone que deben pensar sobre el sexo. Los artículos de prensa sobre la Viagra admiten casi de forma invariable que la mayoría cree las mismas viejas cantilenas, o sea, que para ellos no existe sexualidad sin erección. En mi opinión, es preciso llevar el replanteamiento aún más lejos.

El asunto de la pistola cargada

—*¿Cuáles son las preguntas que se plantean los hombres sobre su sexualidad?*

—Algunos han comenzado a plantearse el avance hacia un nuevo tipo de relaciones sexuales; otros han aplazado esta revisión a fondo de su sexualidad. Una de las etapas de dicho proceso consiste en examinar la cuestión del orgasmo femenino. Algunos hombres se ahorran el esfuerzo y se aferran a la idea de que el punto G existe y, por consiguiente, la mujer debe orgasmar por simple penetración vaginal, al mismo tiempo que el hombre. Aunque esta teoría de la existencia del punto G en la vagina, que data de los años ochenta, ha sido refutada científicamente —y mis propias investigaciones también han demostrado de forma constante que ese punto no existe—, algunos prefieren ignorar la realidad y continuar creyendo en su existencia. ¿Por qué? Porque les evita tener que adaptarse a las «necesidades de las mujeres» e inventar formas de relaciones sexuales más igualitarias e interesantes. Más en concreto, creer en el punto G significa que los hombres no tienen necesidad de aprender cómo efectuar la estimulación clitoridiana, puesto que «el pene hace todo el trabajo».

He recibido testimonios conmovedores de hombres y de sus parejas que describen los esfuerzos realizados para reinventar sus relaciones sexuales. Por ejemplo, una joven de veintidós años describe con detalle cómo ella y su novio tratan de integrar juntos el nuevo conocimiento en su vida sexual. Cuenta el interés de su pareja en hacerla orgasmar mediante caricias en el clítoris y se asombra de que, a veces, no lo logre.

Un joven de la misma edad me ha escrito su desconcierto ante la dificultad que experimenta su novia para orgasmar:

> Tengo veintidós años y le escribo porque necesito (más bien necesitamos mi novia y yo) algunos consejos para nuestra vida sexual.
>
> Ella es un poco inexperta en este campo (nuestra primera vez fue la segunda para ella, que tiene dieciocho años) y empiezo a inquietarme porque no llega a gozar, aunque lo hemos intentado numerosas veces, de diferentes maneras, y además hablamos de ello con mucha confianza, pero ella no lo logra.
>
> Sin duda, obtiene placer y le gusta, ese no es el problema, sino que no llega hasta el final. Y empiezo a preguntarme si le es imposible lograr el orgasmo o si yo hago algo mal. ¿Debería estimularla con la mano o prologar dentro de ella la acción de mi pene? He leído cosas sobre la estimulación del clítoris, pero no sé cómo interpretarlas.
>
> He tratado de decirle que no es más que una cuestión de tiempo, que tiene que dejarse llevar, que no debe darle importancia. He tratado de ser lo más amable y cariñoso posible, pero no sé qué más hacer. Incluso hemos hablado de los movimientos que ella podría intentar hacer...
>
> Tengo miedo de que si vamos a un consejero o un especialista se le meta en la cabeza que tiene un «problema» y empiece a darle vueltas, lo cual no ayudaría mucho. Llevamos seis meses juntos y me gustaría pasar mi vida con ella, pero me siento realmente impotente ante esta dificultad y no sé qué más hacer.

Estas personas escriben la Historia. Explorar nuevas direcciones es valeroso, sobre todo porque no se dispone de ningún manual de uso. La mayoría de los hombres se muestran estupefactos cuando acarician por primera vez la región clitoridiana: ¿quién ha visto con sus ojos un clítoris? Todos sabemos cómo es un pene, sabemos más o menos cómo funciona, pero nadie ha visto nunca el clítoris. Por lo tanto, es más difícil asociarlo plenamente con la sexualidad «normal».

¿QUÉ ES SER HOMBRE?

—*¿Quiere eso decir que la única cosa que podría hacer evolucionar la sexualidad de los hombres es el deseo de adaptarse a la estimulación que precisa la mujer para correrse? ¿No hay razones propias para querer cambiar?*

—Sin duda, la sexualidad del hombre sobrepasa su simple relación con la de la mujer («¿Acepto que una mujer reciba estimulación en el clítoris para orgasmar o no?»), y, del mismo modo, la sexualidad femenina sobrepasa también su simple relación con la del hombre. Pero entonces, ¿qué es lo que los hombres sienten en su interior, qué querrían hacer? Suelen quejarse de sufrir una especie de presión para que se muestren muy eficientes durante el amor. De que están hartos de tener que mantener la erección mucho tiempo y preparar a su pareja. En mis investigaciones, dicen que les gustaría ser libres para acariciarse durante el amor y que les agradaría que su pareja les tocara más por todo el cuerpo.

Sin embargo, los hombres, como las mujeres, continúan gozando según las reglas, haciendo el amor con una pareja. En otras palabras, hacen cuanto pueden para lograr que la cosa salga perfecta, sin ponerla en tela de juicio ni replantearse de arriba abajo el conjunto del escenario, aunque empiecen a perder interés.

Los niños en la escuela del conformismo

—*¿Cuándo aprenden los niños a pensar como «tíos fríos» y buenos soldaditos sexuales?*

—Una de mis teorías más importantes trata del desarrollo de los niños. Por el momento, llamémosla la teoría del *Edipo crecido*. Ya sabe que el complejo de Edipo es el nombre que dio Freud a su teoría sobre los niños, que se caracteriza por la unión sexual a la madre y el odio al padre-rival, que acaba resolviéndose por la identificación con el padre. He estudiado a millares de niños, muchos más que Freud y de forma más científica. Me he dado cuenta de que era necesario revisar la figura mítica de Edipo y aportar razones más precisas para su comportamiento. En general, la sociedad considera que se produce un gran cambio en el modo en cómo se ven los niños hacia los diez o doce años. Este cambio se atribuye la mayoría de las veces a las hormonas, que llevan al niño a pensar y actuar de una forma diferente. Según la teoría freudiana, se parte de la hipótesis de que las «hormonas de la pubertad» provocan automáticamente una pulsión heterosexual; de ahí el deseo repentino y apasionado de Edipo por su madre. Esta es la interpretación freudiana de la leyenda, pero las estudiosas feministas la interpretan como el paso del matriarcado al patriarcado, hace más de tres mil años. [Sobre este tema se puede consultar el libro de Marija Gimbutas, *Dioses y diosas de la vieja Europa,* publicado por Ediciones Istmo, Madrid.]

Es indudable que los niños pasan a la pubertad mediante cambios físicos que les dan la capacidad y el deseo de eyacular y experimentar placer. Lo que pongo en entredicho es la medida en la que estos cambios hormonales provocan los trastornos psicológicos que se les atribuyen. Por ejemplo, se postula que la distancia que a esa edad ponen los niños entre ellos y su madre, sus hermanas y todo lo que es femenino es el resultado de las hormonas. Ahora bien, mis investigaciones demuestran —hablaremos de ello un poco más adelante— que nuestra propia estructura social les exige un cambio de comportamiento. Me parece que los hombres deberían sentirse contentos con esta explicación. En efecto, aceptar el argumento de que las «hormonas transforman a los hombres en guerrilleros» podría conducir a replicar con otro que sugiriera pensar en un tratamiento hormonal como una manera de fomentar la paz. No estoy de acuerdo con que los hombres merezcan un tratamiento. Mi opinión es que la sociedad debe replantearse la forma en que se educa a los niños.

Así pues, creo que es ridículo suponer que las hormonas que hacen salir el vello en los niños y posibilitan la eyaculación también hacen que les guste y deseen la guerra. Creo que es falso afirmar, como se escucha, que la vellosidad y la eyaculación son dos fenómenos «agresivos», el equivalente en parte del deseo de ser guerrero. Como si de improviso las hormonas masculinas generaran a la vez el vello, la eyaculación y un comportamiento belicoso, agresivo, cínico, suspicaz. Y, sin duda, también les imponen a los hombres su dificultad para comunicar y experimentar sus emociones...

Parece que la mitología clásica griega entrañaba un orden social bien diferente, seguramente menos belicoso (a imagen del sistema arcaico hindú y de sus divinidades). En esa época, las hormonas eran las mismas; ¿cómo podría haber sido diferente la naturaleza humana o la «naturaleza del varón»? Numerosos especialistas admiten hoy que la psicología humana es plástica, que puede ser moldeada de diversas maneras por la cultura en que habita, y creo que así es en el caso de la naturaleza de los niños. Por ejemplo, cuando tienen sus primeras eyaculaciones, hacia los diez o doce años, podrían contemplar este fenómeno de muchos modos. En mis investigaciones, la mayoría no ve en su eyaculación un arma o un gesto dirigido contra nadie; lo experimenta más como una experiencia interior, con un sentimiento de miedo o admiración ante su cuerpo.

—*¿Fue fácil estudiar la sexualidad de los niños?*

—La primera vez que publiqué investigaciones sobre ellos fue en 1981, en el *Informe Hite sobre los hombres,* pero la investigación había comenzado en 1975. Entonces no había nada a qué recurrir, ningún conjunto de investigaciones anteriores sobre las cuestiones que me interesaban y con las que habría podido cotejar mis resultados. Por lo tanto, fue difícil saber si lo que había descubierto testimoniaba un cambio o un statu quo.

La idea era —y aún subsiste— que las mujeres poseen una psicología (y, por lo tanto, problemas psicológicos), mientras que los hombres solo tienen su naturaleza de varones: son lo que son. El razonamiento es el siguiente: la «psicología» es algo que se ha impuesto a las mujeres para dominarlas; para desembarazarse de esa psicología inhibidora, no tienen más que dejar hacer a la naturaleza, rechazar sus condicionamientos, y su propia naturaleza mostrará las mismas características que las del varón. Una versión posterior de esta teoría admite que la naturaleza femenina será un poco diferente de la masculina «porque las hormonas femeninas están hechas para que las madres se comporten de un modo particular». En definitiva, una mujer puede demostrar que no es prisionera de su educación adoptando los modales de un hombre: siendo brusca, cerrada, disimulando sus sentimientos, considerando la sexualidad nada más que un placer fugaz, etcétera.

¿Las hormonas? No, es la cultura

—¿Pero hay algo en los niños que pueda deberse a la naturaleza y no a la cultura?

—Tal vez, pero creer que los comportamientos masculino o femenino se deben únicamente a las hormonas es simplista, por no decir risible, y sobre todo falso. ¿Por qué? Después de numerosos años de investigación, me parece muy evidente que determinados comportamientos se inculcan tanto a los hombres como a las mujeres, recompensando a los primeros y reprimiendo a las segundas. Los niños no han cesado de repetirme: «Oh, sí, estaba muy apegado a mi madre cuando era pequeño; estaba muy contento de estar en casa con mis hermanas. Después atravesé un periodo difícil, lleno de introspección intensa y también de confusión, hacia los diez, once o doce años, y duró mucho tiempo. Me sentía muy desolado y sufría. Todo giraba alrededor del deseo de ser uno de los tíos del colegio, de adaptarme, y al mismo tiempo de permanecer fiel a mí mismo».

Las primeras veces que he escuchado este testimonio, he tenido dudas. Me decía: «Los hombres no pueden saber lo que es sufrir, es más propio de las niñas, que crecen asumiendo su posición de inferioridad y la injusticia de haber recibido dicha posición por su nacimiento. Sin duda, exageran y deberían estar muy contentos de no tener más que sus supuestos problemas».

Sin embargo, después de haber escuchado a miles de hombres y niños repetir este conmovedor testimonio, he evolucionado en mi reflexión y comenzado a entender en otro plano lo que me decían. Me resultaba muy difícil, siendo mujer, comprender qué son los hombres, puesto que además no se había hecho ningún trabajo serio sobre el desarrollo psicosexual de los niños antes del mío. Era una forma nueva de reflexionar sobre los hombres.

—*Así pues, ¿cuál es su teoría sobre el Edipo crecido?*

—Como acabamos de ver, la mayoría de los niños están muy apegados a sus madres mientras son pequeños. No experimentan ningún problema, están contentos y se encuentran bien así. Después viene ese famoso periodo durante el cual se acumulan sobre ellos las presiones: «¡No te quedes en las faldas de tu madre!», etc. De repente, los niños se dan cuenta de que deben unirse al grupo de los niños y los hombres. Hay rituales de pubertad que la sociedad les impone, la mayoría de las veces en el colegio por medio de un grupo de niños mayores y más fuertes, a los que a veces se llama los «bestias» o los «duros».

El lavado de cerebro que la sociedad impone al niño le inculca que jamás debe tener una actitud femenina. «¡No eres un afeminado!» significa: «No muestres tus emociones como las niñas». Más precisamente, «muestra tu cólera, pero oculta todo sentimiento de amor o de ternura». No te pongas ropa bonita, no trates de arreglarte para parecer guapo, o se reirán de ti. Sé como los demás hombres, amóldate al sistema masculino.

Algunos, asustados, corren hacia su madre. Pero el tono ha cambiado porque ha llegado la pubertad. Ella les dirá entonces: «Si un niño del colegio te pega, defiéndete. Yo ya no puedo hacer nada más por ti». Este discurso turba a los niños y les deja desconcertados: ¿En qué personaje se tienen que convertir? ¿No deben demostrar ningún miedo, no deben sentir miedo? ¿Por qué tienen que pasar por eso, cuando sus hermanas no están obligadas a hacerlo? Muchos me han dicho que en ese momento pensaron que sus hermanas tenían una vida mucho más fácil.

A esa edad, la mayoría de los niños se dan confusamente cuenta de que no solo el mundo no está dirigido por mujeres (simbolizadas por su madre), sino que está regido por grupos de hombres y que les vendrá bien unirse a ellos si no quieren ser señalados con el dedo y excluidos del grupo y, por lo tanto, del mundo. El sistema, que creían que era sobre todo femenino, ha resultado ser en realidad un «sistema masculino». Sin duda, los debates sobre la igualdad comienzan poco a poco a hacer que las cosas cambien y hay más mujeres que ocupan posiciones de poder en la sociedad, pero seguimos todavía muy lejos de la igualdad, aunque nos creamos modernos.

—*¿Qué cambios produce ese paso en la psicología de los niños?*

—Algunos me han comentado que tuvieron la impresión de caer en un precipicio sin saber qué era. Muchos también se han quejado de la negativa de su padre a ayudarlos. Todo lo que se les ocurría decirles era: «Ven, vamos a ver el partido en la tele».

Ver la tele: eso se había convertido para ellos en una especie de metáfora del mundo misterioso —y a menudo silencioso— de los hombres. ¿Qué es lo que pasa? Pero el padre no dice nada, y sin embargo se supone que el niño está allí, que pertenece al sistema. ¿Cómo se aprenden las reglas de un sistema que se niega a precisar cuáles son? (Esta es una de las razones por las que las películas de Hitchcock son populares: el héroe masculino no sabe exactamente qué pasa y nadie se lo quiere decir...) No tienes a nadie en quien confiar, solo estás presente. ¿Pero dónde está el placer? ¿Cuál es tu meta, tus motivaciones? Según mis investigaciones, a los niños les cuesta más de un año digerir el cambio y adaptar su psicología para, de una manera u otra, entrar en el sistema. Para la mayoría, es un paso realmente violento.

—*¿Un viraje brutal en su evolución psicológica?*

—Sí. Y me pregunto por qué Freud no se ocupó nunca de esta cuestión. Es posible que no se percatara de hasta qué punto se hallaba atado por la cultura al seguir pensando que siempre era bueno para un niño rechazar a su madre (o el símbolo del «feminismo»). «Es así», le gusta decir a la gente para justificar el sistema.

—*¿Cómo puede reaccionar el niño enfrentado a este sistema?*

—Mis investigaciones muestran que en general piensa que está obligado a integrarse en el «sistema masculino», aunque no le guste, porque no tiene otra alternativa. Su única elección es aceptarlo por completo, rebelarse (para entrar más tarde en el aro) o aparentar aceptarlo, reservándose una parte de sí mismo gracias a la cual se comportará de forma diferente, por ejemplo en su vida privada.

Para los hombres, este sistema de «compromiso oculto» es mejor que nada, pero los hace inseguros. La lección más brutal infligida a los niños en la pubertad es la de que los únicos poseedores reales del poder son los hombres. El hecho de ver a los niños mayores del colegio exhibir su fuerza y mostrar que pueden mofarse de los profesores sin sufrir consecuencias enseña a los demás niños a temer el poder ejercido por el grupo masculino. Y el corolario de esta «lección» es que muchos sienten que jamás podrán respetar a una mujer: han aprendido que su madre —o toda mujer en general— es impotente para protegerlos contra el sistema, lo cual genera en ellos una forma de respeto por los demás hombres como los defensores de su cuerpo, mientras que las mujeres ya nunca serán tomadas en serio como antes. Es comprensible, pero no menos trágico. Gracias a Dios, las cosas cambian, y lo harán mucho más deprisa cuando dispongamos de un mejor análisis del sistema (como el mío...).

—*Pero no son raros los niños que no se sienten a gusto en el sistema...*

—No; en realidad, son muy numerosos. Una gran mayoría

de los hombres han pasado por eso y pueden identificarse con lo que digo.

—*Yo, por ejemplo. ¿Pero se les prohíbe toda actitud que diverja del «sistema masculino»?*

—En nuestros días, los hombres llevan pantalones vaqueros o trajes; está descartado que se pongan a veces un vestido, que se aparten de la regla. Las mujeres han conseguido mayor libertad, pueden vestir tanto faldas como pantalones. Los hombres tienen que entrenarse con otros hombres y compartir distracciones de hombres, como beber cerveza o whisky... Si un hombre hace amago de apartarse de estos comportamientos, se arriesga a perder su empleo porque los demás se reirán de él y lo excluirán del grupo.

A menudo el grupo de hombres se convierte en un sistema conformista, muy pesado para el individuo: «No le digas a nadie que no piensas como ellos». Así pues, el niño debe aprender a ser como los demás hombres del grupo o a resignarse a ser excluido y a tener que luchar más.

No estoy describiendo una situación inmutable, sino que trato de aportar una buena noticia, en la forma de un análisis preciso del modo cultural en que funciona el sistema. A partir de ahí nos será posible romperlo, sustituir las piezas que deban cambiarse y crear una nueva sociedad...

La traición al grupo y a su conformismo

—*Por lo tanto, ¿traicionaría al grupo un hombre que se identificara demasiado con una mujer?*

—Sí. Cuando un hombre trata de introducir mujeres en un grupo masculino, comete un acto que los demás van a vivir como una traición patente. Porque lo que une al grupo no es solo la pasión por el fútbol, sino sobre todo el rechazo a las mujeres. Ellas no pueden pertenecer a él. De este modo, de forma implícita, los hombres se pasan entre ellos el mensaje de que valen más que «esas», las mujeres.

En *Sexo y negocios* analizo grupos exclusivamente masculinos, puesto que son omnipresentes en el mundo empresarial. Lo que no se ve es que, aunque este universo aparezca a primera vista como un sistema favorable para los hombres, en realidad les somete a obligaciones muy fuertes. Se les convence para permanecer en su puesto diciéndoles que si se les acepta en el grupo es porque cumplen las reglas. Es una especie de recompensa, una protección acordada por su lealtad, que además les permite acceder a esa élite que constituyen los equipos enteramente masculinos que se encuentran en las empresas, les otorga su lugar en la mesa. Sin embargo, los hombres no se sienten realmente recompensados: tienden sobre todo a temer por su trabajo y la posición que va unida a él. Si el sistema les fuera realmente favorable, ¿no serían más felices? Numerosos hombres recurren a las mujeres para que les alegren la noche y así poder volver al combate al día siguiente. De este modo, sin quererlo realmente, las mujeres defienden un sistema que privilegia a los hombres y las excluye a ellas.

—*¿Desempeña la sexualidad un papel en todo ello?*

—Como hemos visto, muchos hombres consideran que la sexualidad y la presencia de una mujer a su lado es una recompensa por los servicios prestados al sistema y al statu quo. La sexualidad es lo que permite organizar todo, el mejor medio de establecer una relación humana y de sentirse bien, un espacio lleno de valores humanos más que de competición. En este sentido, a menudo se ha utilizado a las mujeres desde un punto de vista sexual, no solo personal, sino, podríamos decir, político.

He tomado conciencia de ello cuando he entrevistado a altos ejecutivos pertenecientes a empresas de las «Top 500» de *Fortune*. Cuando les he preguntado por qué había tan pocas mujeres en sus consejos de administración, me han dado respuestas del género: «No queremos mujeres porque estamos convencidos de que los hombres trabajan mejor si no las hay presentes». El dueño de un grupo internacional de medios de comunicación me ha declarado que la presencia de una mujer en el consejo de administración cambiaría la atmósfera a peor: «En este momento, hablamos fácilmente, tenemos una buena comunicación. Pero si participaran mujeres en la sesión, se modificaría el ambiente. Los hombres hablarían con menor libertad, no serían tan sinceros unos con otros. Hacen un trabajo en equipo mucho mejor en ausencia de mujeres».

Un antiguo directivo de un grupo industrial me hizo partícipe de su experiencia como el primero en haber introducido a una mujer en el consejo de administración. Tenía la impresión de que había llegado el momento y un día propuso la idea a otros miembros del consejo: «¿No creéis que nos haría falta una mujer aquí?». Se quedó sorprendido cuando le respondieron de inmediato: «¿Por qué?». Después, tras un momento de silencio: «¡Ah, claro, tienes una amante!». Entonces replicó: «No, todo va muy bien entre mi mujer y yo». Pero por mucho que lo intentó no logró convencerlos. Para tratar de poner fin a esos chismes, encargó a un cazatalentos que buscara una candidata, de modo que estuviera claro que él no estaba involucrado personalmente. Incluso llegó a precisar al cazatalentos que no quería conocer a la candidata hasta que no fuera convocada ante el consejo de administración al completo para una entrevista.

Las cosas sucedieron de la forma prevista y ella fue presentada al consejo de administración. El cazatalentos estaba seguro de que era la más cualificada y de que tenía un excelente perfil para el puesto; por lo tanto, nadie habría podido encontrar un motivo para no contratarla. Y lo fue. Pero en ese

84

mismo momento comenzaron las dificultades. Los miembros masculinos del consejo quisieron que el presidente no olvidara jamás que la idea de tener una mujer en el consejo de administración era suya. De hecho, me dijo, durante muchos años corrió el rumor de que él y la única mujer del consejo de administración tenían una aventura juntos.

Su mujer tuvo que compartir su estoicismo durante este periodo: en teoría, era la mujer engañada. Cuando la pareja debía acudir a reuniones y comidas de empresa, percibía que la gente cuchicheaba a su espalda. En cuanto a la mujer del consejo de administración, también tenía que mostrarse discreta durante estos actos en los que estaba obligada a participar. Soportó los chismes y las miradas torvas de quienes la achacaban un «ascenso por la cama». La hicieron de lado completamente. Al ser la única mujer del consejo, y en ausencia de otras mujeres en su nivel, no podía intentar crear vínculos de amistad con los demás miembros del consejo, y mucho menos con el presidente, porque eso habría alimentado más el chismorreo. En definitiva, jamás fue aceptada en el grupo de hombres, pero se mantuvo firme y conserva su puesto, aunque terriblemente sola.

Estos ejemplos muestran hasta qué punto influye en su comportamiento de adultos el sistema que reúne a los niños. Y también concierne a hombres de los que cabría pensar que son más sofisticados y saben un poco más... Puede que los señores de los que acabamos de hablar no quisieran conscientemente dar prueba de ostracismo; pero los ritos puberales que he estudiado habían desvirtuado su razonamiento hasta tal punto que les pareció muy natural comportarse como lo hicieron.

En otras palabras, aunque numerosos hombres afirman en mis investigaciones que están a favor de la igualdad, siguen bajo la influencia del *Edipo crecido* ya descrito. Con los comportamientos en contra de las mujeres, muchos se obstinan en demostrar que pertenecen al grupo de los hombres y que le son leales, sin darse buena cuenta de hasta qué punto esos clichés levantan barreras a su alrededor y les encierran en un sistema que los excluye de la vida verdadera.

La «máquina de clonar»

La historia de esta multinacional muestra claramente cómo el condicionamiento precoz infligido a los niños mediante sarcasmos, novatadas o el espectáculo de otros niños golpeados porque son diferentes puede afectar toda su vida de hombres de una forma de la que no siempre son conscientes. Estas primeras «lecciones» les inculcan el terror de ser diferentes o no adaptarse. El mensaje dice claramente: «Intégrate o serás excluido del grupo».

Del mismo modo que un niño debe renegar de su madre ante los compañeros o demostrar que no le manda, estos hombres, que pertenecían a un grupo de adultos, esperaban del presidente que le negara el acceso a una mujer. Y cuando tomó la iniciativa de hacerla entrar de todos modos, se sintieron a disgusto y perturbados, incluso ultrajados, pero no pudieron responder expulsándole porque era el dueño.

Recientemente se ha lanzado en Gran Bretaña una campaña contra las novatadas, pero todavía ningún país ha declarado punibles los sarcasmos, las vejaciones y las novatadas a los niños. Mis trabajos hacen pensar que si la sociedad fuera capaz de desterrar dichos comportamientos (que, por otra parte, fomentan la publicidad televisada destinada a los pequeños), de inmediato podría llegar a ser realidad un mundo más pacífico.

—*Bien, pero entonces, ¿qué hay que hacer con los niños para educarlos mejor?*

—Se haga lo que se haga, los niños sufrirán estos sarcasmos en el colegio, por muy competentes que sean los padres. Y el mismo mensaje se transmite fuerte y claro en la televisión y en las canciones. No obstante, los adultos pueden actuar contra estos mensajes, y tal vez los hombres son los mejor situados, puesto que dichos mensajes tratan de las relaciones entre ellos. Por ejemplo, un hombre podría explicar a su hijo: «Aunque la gente diga esto o aquello, no hagas demasiado caso. Tú te enfrentarás al mundo sabiendo que ser realmente un hombre es otra cosa, mucho más que eso». Como feminista, me gustaría decirles a los hombres que se muestren valientes, que no duden en interpelar a los demás hombres de los grupos: «No tengas miedo, pues los otros también tienen miedo de ti; no te integres sin reflexionar en un sistema que se clona a sí mismo. Se supone que a cambio te concede privilegios, pero a fin de cuentas no te hará feliz».

—*Sin duda, un hombre puede oponerse al resto cuando es adulto, pero para un niño es imposible resistir.*

—Es cierto, pero suelen intentarlo, en general durante el primer año de la pubertad, como han mostrado mis trabajos, atravesando «una sombría noche del alma»; pero a la larga es verdaderamente imposible resistir. Sin embargo, cuando son un poco mayores, algunos hombres reflexionan sobre ello y a veces encuentran atajos que les permiten expresar su personalidad y encontrar la felicidad. Pocos se replantean el sistema que privilegia a los varones, pues ¿no sería ridículo atacar algo que les beneficia?

Escuchemos las letras de las canciones de *rock, hip-hop* y demás: suelen estar llenas de mensajes «formadores» para los hombres y críticas para las mujeres. Transmiten la idea fundamental de que se debe ser un tío y que para serlo de verdad hay que ser malo y duro (como el animal más bestia del colegio, como un gánster). De hecho, los mensajes de dichas canciones suelen dedicarse a ensalzar al tío. De este modo, aunque se perciba que el *hip-hop* es supermoderno, en realidad se basa en un viejo estereotipo que pone por las nubes al bestia más grande del barrio.

NO NECESITO A NADIE

Durante los años cincuenta se estrenaron películas sobre hombres que se negaban a integrarse, rebeldes, hombres «diferentes». Rod Steiger, James Dean, Paul Newman en algunas ocasiones, salieron en las películas describiendo a hombres que se rebelaban contra el orden establecido. Por desgracia, este movimiento acabó cayendo en otro cliché, el estereotipo del héroe solitario (que se vuelve a encontrar en el «Hombre-Marlboro»). También cayó en otro cliché, el del hombre que se rebela sólo contra su padre *(La gata sobre el tejado de zinc caliente)* más que contra el conformismo masculino. Además, la crítica que este movimiento dirigía al conformismo no iba muy lejos y no trataba de comprender que la exclusión de las mujeres era el dogma fundamental, lo que hacía que un hombre fuera un hombre. Jamás hubo rebelión contra la exclusión de las mujeres de los grupos de hombres.

Para los hombres que al final de los años cincuenta se unieron a los movimientos anticonformistas y *beatnik,* la respuesta al conformismo social fue «la carretera»: el hombre coge su petate y se va. Emblemáticos de esta postura son la película *Carretera 66* y el héroe del libro de Michael M. Pirsig *Zen and the Art of Motorcycle Maintenance.* Esta visión del hombre solitario se solía combinar con la afirmación: «Yo no necesito una mujer».

Esta expresión lo dice todo. Cuando los hombres afirman querer ser libres y no tener ataduras ni compromisos, cultivan sin duda una actitud anticonformista, pero también antimujeres. La mayoría de ellos insultan mucho más a las mujeres de lo que piensan, porque en realidad tienen múltiples compromisos: en su empleo, frente a diversos grupos de hombres y muy a menudo en diversas relaciones con mujeres. Se cuidan de vestirse y cortarse el pelo para tener apariencia de hombres, un compromiso más, esta vez hacia la identificación masculina. ¿De qué quieren entonces estar libres? En algunas películas, quieren liberarse del control de su padre o del clima político sofocante de su lugar de nacimiento. Pero también se trata a menudo de liberarse de todo aquello de lo que se burlan los chicos: la casa, las faldas de la madre, como han aprendido durante la pubertad.

En otras palabras, según mi análisis, no es la naturaleza humana la que conduce a los hombres a excluir a las mujeres de sus grupos —gobiernos, equipos científicos, entorno laboral—, sino los rituales ligados a la pubertad masculina que la sociedad ha establecido, aún vigentes en la actualidad, que exacerban la separación de los sexos y ponen en pugna a hombres y mujeres. La guerra de sexos ha sido creada por la sociedad y no por la «naturaleza humana».

—*Según usted, ¿no existe guerra naturalmente entre los sexos?*

—No. Podemos terminar esta guerra si prohibimos esos ritos de la pubertad y dejamos que los niños se desarrollen de forma más natural. Sin duda, también habría que lograr que la gente fuera consciente de esta dinámica. Escucho con frecuencia: «Es culpa de sus madres que se eduque así a los niños». En realidad, no hay que atacar a las madres por los rituales infligidos a sus hijos, pues les corresponde a los hombres romper ese círculo.

—*¿Cabría afirmar que el ejército ha solido desempeñar un papel importante en este terreno?*

—Sí; el ejército y el movimiento *scout,* que también ha fomentado ese «asociacionismo masculino», es verdad. En su origen, en el mundo entero, el movimiento *scout* se fundó sobre ideales positivos, pero por desgracia calcados del modelo militar, que se imponían a niños muy pequeños. Se marchaban solos de casa, se unían a un grupo de niños y se entregaban a actividades de niños. No pretendo decir que los hombres no tengan derecho a estar juntos, o a ser físicamente diferentes de las mujeres (!), o incluso a quedarse solos si les apetece. Sin duda, son físicamente diferentes; por ejemplo, los músculos del antebrazo están más desarrollados que en la mujer porque su cuerpo tiene esa constitución. Rudolf Nureyev podía levantar a Margot Fonteyn, pero no era posible lo contrario.

Lo que pretendo decir es que, aunque existen diferencias, sin duda se exageran. Se coloca a hombres y mujeres unos frente a otras, en una exacerbación y «fetichización» curiosa de los géneros. Se suele afirmar que los comportamientos tienen origen biológico —«las hormonas»—, de lo cual no hay prueba alguna, pero el argumento sirve como autojustificación útil. En realidad, lo esencial de nuestro comportamiento tiene poco que ver con el cuerpo y depende casi exclusivamente de la impregnación cultural de la persona.

EDIPO SE SEXUALIZA. CÓMO APRENDEN LOS NIÑOS A FORMAR SU SEXUALIDAD EN LA PUBERTAD

—*¿Cómo explica su teoría de Edipo el despertar y el desarrollo de la sexualidad en los niños?*

—Alcanzada la pubertad, en el momento en que los niños se enfrentan a la exigencia penosa y desconcertante de dejar atrás a su madre y todas las «cosas de niñas» para transformarse en «verdaderos hombres, tipos duros que no se quejan», se vuelven capaces de orgasmar eyaculando y de sentir un deseo sexual acrecentado. ¿Cómo deciden orientar estas emociones sexuales y cómo determinan cuál debe ser la expresión correcta de sus experiencias sexuales?

Según la mayoría de las teorías, no se plantea la pregunta, puesto que propugnan que son las hormonas las que determinan la sexualidad y la psicología de los niños. No obstante, mis investigaciones muestran que es más preciso decir que, aunque las hormonas aumentan las capacidades y los deseos de orgasmo de los niños, no determinan que deben comportarse «instintivamente como animales» atraídos por el coito y la reproducción (ni por las chicas rubias de ojos azules y grandes pechos, según el cliché racista que a menudo transmite la pornografía). Los niños reciben numerosos mensajes culturales que les dicen quiénes son en el plano sexual, cómo debe comportarse un hombre en la cama, que tiene que enarbolar un pene bien duro, etc. Por ejemplo, lo que un «hombre verdadero quiere» es «meterle la polla a una mujer». Por lo tanto, no es una gran sorpresa que los niños —a menudo con la ayuda de la pornografía— se pongan a comprender y a orientar sus nuevas emociones sexuales según esta «cultura» prescrita y definan de esta forma la que creen que es su verdadera identidad.

La teoría a la que he llegado demuestra que hay un vínculo entre el gran choque emocional que los niños sufren cuando han de dejar a su madre (o demostrar a los demás niños que no es ella quien dicta su conducta), por una parte, y el placer sexual que comienzan a sentir en ese mismo periodo de la pubertad, por la otra. Estos dos trastornos más o menos simultáneos, estos dos choques, provocarán un cruce de cables y la señal se alterará hasta el punto de provocar un traumatismo que dará lugar a una sexualidad traumatizada. En otras palabras, numerosos niños crecen asociando la excitación sexual que acaban de descubrir con la carga emocional provocada por su ruptura con la madre, que implica además mostrarse dominadores en relación con ella. De este modo, se acaba asociando el placer sexual con la dominación o la humillación ejercida contra una mujer. Esto explica la violencia ligada a la sexualidad masculina, que se supone que forma parte de la «naturaleza humana». Esta teoría, expuesta con mayor detalle en mis libros, llega a la conclusión siguiente: en el momento en que los niños aprenden que las niñas son los objetos apropiados de sus deseos, saben que deben guardar cierta distancia. De una forma u otra, deben desear a las mujeres manteniéndose lejos de ellas.

EDIPO Y EL MÉTODO CIENTÍFICO

—*Ha dicho que los hombres tienen miedo de enamorarse, de dejarse llevar realmente. ¿Es cierto?*

—En mis investigaciones, la mayoría de los hombres afirman que no se han casado con la mujer que han amado más apasionadamente, y se sienten orgullosos de ello. Aunque alrededor de los cincuenta experimenten el sentimiento clásico de soledad y melancolía («¿Qué es la vida? ¿Vale la pena?»), descrito como los *blues* de la cincuentena, y aunque se sigan acordando de su gran amor perdido, la mayoría de los hombres sostienen que eligieron bien y que se sienten orgullosos de haber «mantenido el control» de sus sentimientos: «De todas formas, me habría cansado de ella un día u otro».

—*Hablemos del matrimonio. ¿Han cambiado de actitud los hombres hacia el compromiso que contraen con una mujer? ¿Les gusta comprometerse? ¿No aspira un hombre a ser libre por naturaleza?*

—Eso ha sido durante mucho tiempo un imperativo cultural: «El hombre debe ser libre». Sin embargo, desde un punto de vista estadístico, la mayoría se casa, en general al acercarse a los treinta años. Sin duda, se dice: «La mayoría no quiere, son las mujeres las que los obligan». ¿Es verdad o es solo lo que afirman los hombres, cuentos para salvar las apariencias?

Pensemos en las bromas y en los clichés que soportan los casados: «Se ha dejado poner la cuerda al cuello», «Ella lo maneja como un títere», «Él va a ganarse la vida para que ella pueda irse de tiendas», etc. Por suerte, los estereotipos de esta índole tienden a difuminarse ante el matrimonio moderno, que se vuelve más igualitario. Quedan los más persistentes, que reflejan concepciones populares recurrentes del tipo: «Las mujeres necesitan más a los hombres que los hombres a ellas»; «Después de los veinticinco años, las mujeres se desesperan por encontrar a un hombre, quieren casarse a toda prisa».

La verdad es que la mayoría de los hombres se enamoran de una mujer, tienen hijos con ella y no sienten ninguna gana de dejarla ni de que los dejen. Muchos me han dicho que los avergonzaban esos sentimientos. ¿Sienten que esas emociones suponen una cierta igualdad con la mujer, menos poder para el hombre? Por ejemplo, creen que un hombre monógamo tiene pinta de afeminado, de blandengue. Estos temores no tienen razón de ser en una visión amplia del universo, pero son comprensibles si se conectan con el bombardeo incesante que sufren los hombres en su adolescencia, a fuerza de «no te quedes a las faldas de tu madre», «no seas una niñita, un niño de mamá», «¡ponte derecho y sé un hombre!», «sal con tus amigos», etc. Más tarde, cuando se sientan bien junto a una mujer, tendrán la impresión de actuar mal, puesto que un «hombre» debe dominar a la mujer y las emociones que experimenta por ella...

Este lavado de cerebro precoz deja profundas huellas: los hombres adultos pueden padecer terribles conflictos cuando descubren que aman, desean o necesitan a una mujer. Por fortuna, este condicionamiento hacia la desigualdad puede superarse en una sociedad que se preocupe por ello. Los rituales puberales y otras novatadas podrían prohibirse o transformarse, puesto que no los provocan las hormonas, sino que son transmitidos por la sociedad [véase cap. 3]. Si este bombardeo y los lemas sobre la separación que le acompañan se prohibieran primero y luego se erradicaran, la calidad de vida de los hombres y las mujeres mejoraría muchísimo. Un gran debate público sobre la dinámica del condicionamiento (los efectos de las novatadas en los adolescentes, por ejemplo) permitiría a los hombres y a las mujeres analizar y reconocer los orígenes de una parte del comportamiento de los primeros, tal vez en particular de su violencia excesiva.

Hablar mal del matrimonio (con todo el desdén que implica para las mujeres y el «control» que ejercen) es un modo de mostrar las reticencias de los hombres ante la igualdad: implícita o explícitamente, afirman que es un derecho masculino quejarse de estar «aprisionados» en el matrimonio.

Se puede abordar su pregunta desde otro ángulo para saber si a los hombres les gusta el matrimonio. En su mayoría, los divorcios los provocan las mujeres: ¿Querría eso decir que los hombres no desean divorciarse? ¿Que, a escondidas, los hombres están de acuerdo con que las mujeres inicien un proceso de divorcio cuando en realidad son ellos quienes lo piden? No, aunque los clichés digan que el matrimonio es para las mujeres y que ellos hacen cuanto pueden por evitar verse «aprisionados», hasta que una mujer «les echa el guante». La realidad parece ser muy diferente: a los hombres les gusta vivir junto a una mujer, aunque sea de buen tono no reconocerlo en público.

EL MATRIMONIO SIN LOS CLICHÉS MASCULINOS

Para los hombres, el matrimonio ha marcado muy a menudo la identificación con un papel particular, en un escenario donde era necesario tener una pareja (mujer) que poseyera las características indispensables de su papel propio. El hecho de que hoy, según las estadísticas, el 50 por 100 de la población se vuelva a encontrar en la categoría de solteros, da testimonio de una voluntad de escapar de los clichés que afectan a las personas casadas. Después de todo, muchos solteros viven en pareja. A numerosos hombres y mujeres les disgusta incluso la idea de la institución del matrimonio, aun cuando estén muy enamorados y aspiren a vivir mucho tiempo junto a una persona determinada. Otros hombres permanecen solteros porque afirman necesitar espacio y libertad, aunque no exijan lo mismo cuando se trata de su trabajo y su carrera. Aunque aprecien compartir su vida privada, su trabajo les retiene más.

—*En suma, ¿a los hombres les gustaría el matrimonio si no existieran clichés?*

—Lo interesante es que los clichés han cambiado recientemente. En los años veinte, no se suponía que el hombre debía estar contra el matrimonio y nadie se expresaba en ese sentido. Se consideraba muy natural que un hombre cortejara a una mujer con el fin de casarse con ella para toda la vida. Las concepciones cambiaron en los años cuarenta durante la Segunda Guerra Mundial, después en los años sesenta, con la revolución sexual y la idea, reforzada por una parte del movimiento feminista de los años setenta, de que el matrimonio era un poco sofocante y conformista. Desde los años sesenta se considera muy natural que los hombres cortejen a las mujeres, pero solo para el sexo. En nuestros días surgen reacciones ante la idea de una sexualidad «libre» y algunos grupos fundamentalistas religiosos animan a los hombres a comportarse de manera más tradicional, sin llegar, por suerte, hasta el talibanismo. En el transcurso de los últimos veinticinco años, las mujeres han transformado profundamente y mejorado la idea que se tenía del matrimonio y de su posición dentro de él.

En China habrá pronto escasez de mujeres. Las estadísticas indican un número anormalmente elevado de nacimientos de niños. Hay dos razones para ello: en las ciudades equipadas con una buena tecnología para la reproducción, los padres pueden conocer el sexo del niño que va a nacer y decidir, si quieren, interrumpir el embarazo por simple elección sexista; por otra parte, en algunas comunidades rurales, se dice que las familias llegan a abandonar a las niñas de pecho para evitar que se conviertan en una «carga». Según los trabajos recientes, en quince años no habrá más que setenta mujeres adultas por cada cien hombres, lo que tal vez conduzca a una nueva visión de las relaciones entre hombres y mujeres...

—*¿Se compromete con mayor facilidad el hombre contemporáneo? ¿Se siente más a gusto cuando ama a una mujer?*

—A comienzos del siglo XX, la tasa de reproducción en Occidente era elevada: tanto los hombres como las mujeres querían tener hijos y se casaban con ese fin, unos por amor, otros por necesidad práctica. En los años veinte, después del movimiento a favor de la igualdad de derechos para las mujeres y la obtención de su derecho al voto en la mayoría de los países, se abrió un periodo centrado en la «nueva mujer liberada y su pareja». Durante dicho periodo, que se prolongó a los años treinta, se dedicaron numerosas obras de teatro, libros y películas al «nuevo matrimonio»: ¿qué sentían los hombres, cómo iban a comportarse las mujeres? En general, estas historias terminaban bien cuando se basaban en el amor y cuando los protagonistas tenían buen carácter... Al final de los años cuarenta y comienzos de los cincuenta, la propaganda ligada a la Segunda Guerra Mundial cambió el decorado.

En lo sucesivo, el hombre verdadero sería duro, tosco, abrigando en lo más recóndito de sí un animal humano capaz de matar a los enemigos que le atacaran, pero capaz también de tener deseos sexuales animales y potentes, susceptibles de apaciguarse haciendo el amor donde fuera y con cualquiera. Para los hombres, la sexualidad ya no era un asunto de sentimientos —«eso vale para las mujeres»—, sino una simple cuestión de deseo bruto. El gobierno estadounidense inundó la industria del cine de Hollywood con enormes sumas de dinero para financiar películas de propaganda que ensalzaran al hombre combatiente, sazonado con valores militares como la «lealtad a la patria», las ganas de ir a la guerra, la pasión por la aventura, que deja a la mujer llorando en casa.

La idea era que el hombre verdadero es aquel que sigue su propio camino, con la aventura en la cabeza, una ideología que correspondía a la guerra y a la necesidad de combatientes. También significaba una separación mayor entre los hombres, las mujeres y la familia, al igual que cierto malestar en los hombres enamorados. ¿Cómo no sentirse como un afeminado cuando se está enamorado y se desea permanecer en casa? En los años cincuenta y sesenta, la publicidad continuó difundiendo estos temas mediante anuncios televisivos que llegaban a casi todos los hogares. Hoy día incluso, pocos hombres aceptan ser vistos como individuos casados y formales que se ocupan de su familia.

EL HÉROE ES UN HOMBRE LIBRE

—En otros términos, ¿siempre hay otros tantos hombres que se enamoran y que querrían vivir en casa con su mujer y sus hijos, pero casi nadie se atreve a reconocerlo? El héroe debe ser libre...

—Sí, exactamente; «libre de mujer», en definitiva. La propaganda de la guerra ha continuado extendiéndose una vez concluida esta y sigue influyendo a los hombres de un modo muy importante. Al final del conflicto, las agencias de publicidad cobraron enorme poder gracias a los contratos con las grandes empresas. Y siguieron en la misma línea: «el hombre verdadero es duro y tosco», «no es un afeminado», «no le gusta estar con las chicas nada más que para hacer el amor». Tales eslóganes han permitido vender productos porque juegan con el sentimiento de inseguridad que experimenta la gente: cigarros, cervezas, etc. Los equipos deportivos enteramente masculinos, de fútbol y de béisbol, por ejemplo, se convirtieron en los iconos de la televisión. Se imponían en todas partes los clichés sobre el matrimonio y el papel de los hombres en él, forzosamente opaco y aburrido.

No pretendo que los hombres —más que las mujeres— deban aspirar al matrimonio, ni que sea automáticamente la mejor de las instituciones del mundo. Durante los últimos veinticinco años, las mujeres no han escatimado críticas al matrimonio; también han mostrado que no querían seguir recreándose en el papel tradicional de esposas y madres. Pero los hombres tendrían que saber que lo que consideran su postura, lo que sienten «en las entrañas», tal vez no sea más que el reflejo de un condicionamiento cultural destinado a hacerles comprender que, para un hombre, es «viril» y «correcto» rechazar a las mujeres. Me pregunto si hoy los hombres reflexionan sobre el matrimonio o piensan que podrían modificar su papel, que, por otra parte, nadie les exige aceptar o rechazar.

Me impresiona ver a tantos hombres, prisioneros de sus concepciones antimatrimonio, sosteniendo un discurso que constituye un insulto para las mujeres. Muchos jóvenes afirman, por ejemplo, querer ser libres, rechazan toda atadura, dicen que necesitan espacio; piensan que son el modelo del nuevo hombre, cuando en realidad no hacen más que perpetuar la ideología antimujeres que, desde hace dos mil años, coloca al hombre como criatura superior...

—*¿No hay entonces esperanza? ¿Cómo debería entenderlo el hombre para hacer diferente el matrimonio? ¿Y para llevar una vida distinta?*

—En el pasado, la idea tradicional era que la familia se organizaba de manera jerárquica, con un hombre a la cabeza, dominando la pirámide familiar. Hoy las mujeres lo han cambiado y nuestra idea del matrimonio ya no es tan jerárquica: los dos progenitores tienen igual poder en la educación de los hijos que jurídicamente les pertenecen. Para los hombres apegados a una visión tradicional de su papel, la concepción igualitaria contemporánea constituye una verdadera dificultad: en adelante, ¿cuál es su papel en la familia? No serán felices en una familia moderna, pero tampoco lo serán más sin familia.

La solución que permitiría que los hombres fueran más felices —y, por lo tanto, todo el mundo— pasa por la toma de conciencia de que, como ya hemos explicado más arriba, los rituales que imponemos a los niños durante su pubertad son peligrosos.

Sin padre en casa, menos lavado de cerebro...

—*Precisamente, a propósito de los hijos, suele mencionarse el problema de la construcción de la identidad en una familia diferente, por ejemplo cuando no hay padre. ¿Qué piensa usted?*

—Los resultados de mis investigaciones arrojan una duda sobre la afirmación que suele aceptarse de que los niños y las niñas se benefician forzosamente de la presencia de sus dos progenitores biológicos. Después de todo, también existe cierto número de problemas inherentes a la familia nuclear, ¿no? Por ejemplo, los niños se ven con frecuencia desgarrados entre los dos progenitores, como si, cuando surge un conflicto entre ambos, debieran acudir en ayuda de uno o de otro, tomar partido. Aunque no haya violencia, los niños se sienten obligados a hacerlo, como reacción a una lucha de poder interna que se plantea en términos de sexo. Por ejemplo, tendrán la impresión de que el padre goza de más poder que la madre (lo que probablemente es cierto desde un punto de vista estadístico) e intentarán instintivamente mediar entre ambos. Llega a suceder que toda su cabeza, todos sus recursos emocionales, se movilizan por estas tentativas de resolver el desequilibrio de los sexos o los conflictos entre los padres. Pensemos, por ejemplo, en un niño que intenta defender a su madre contra un padre violento, lo cual es un fenómeno frecuente en las estadísticas.

Recientemente se ha hablado mucho de las familias monoparentales, en las que la madre está sola, un tipo de familia cada vez más corriente. A menudo se da por supuesto que las madres solteras arruinan la psique de los niños, que no es bueno que crezcan en una familia en la que no hay dos progenitores para asumir su papel de modelo.

¿Qué muestran mis investigaciones? He tratado de saber qué vida llevaban, una vez convertidos en adultos, los niños educados por una madre sola y cómo se habían desarrollado sus relaciones con las mujeres. He tenido la gran sorpresa de descubrir que mantenían con ellas mejores relaciones a largo plazo. Una de las razones es que, en una familia donde no hay hombre, los niños sufren menos lavado de cerebro. Por ejemplo, no hay esa presión para ver al hombre como un ser distante, poco comunicativo, preocupado por no parecer afeminado y, por lo tanto, demasiado apegado a las mujeres.

También está el hecho de que las mujeres que llevan solas sus familias deben hacer frente a apremios financieros a veces difíciles; los niños suelen saberlo y aprenden a ver a su madre como un ser mucho más completo que en un sistema clásico de dos progenitores. Incluso cuando las mujeres ganan dinero en una familia con dos progenitores, como ocurre en la mayoría de los casos, a veces ocultan a los hijos la importancia real —y a veces muy considerable— de su contribución, como si pretendieran decir: «No os preocupéis, de todos modos nos ajustamos a la familia tradicional».

—*¿Hay una mejor calidad de diálogo entre la madre sola y sus hijos?*

—En las familias monoparentales, las mujeres tienen más tiempo para hablar de toda clase de cosas con sus hijos, tales como los problemas financieros, los hechos insignificantes del día, la jornada escolar. Por el contrario, cuando hay dos progenitores, se tiende a cerrar la puerta del dormitorio para discutir; la mujer supone que a su marido o compañero le costaría admitir que se tomara ese tiempo privado para hablar con sus hijos y no con él. En algunos casos, una madre soltera hablará con mayor libertad con sus hijos, se prestará mejor a escuchar sus problemas en el momento de acostarse que una mujer casada: esta última tal vez tenga menos tiempo que dedicarles porque conversará preferentemente con su marido. Se puede concluir de ello que los niños se benefician de más tiempo e intimidad en una familia monoparental que en una familia con dos progenitores.

—*Y si no hay padre en casa, tal vez los niños se escapen de la tiranía del fútbol en la televisión...*

—*[Risas.]* Sin duda.

—*¿Piensa que un niño podría crecer más deprisa viendo a su madre afrontar las dificultades, tratando de ayudarla y mostrándose más responsable?*

—Sí, ese suele ser el caso. Es bueno que los niños vean a su madre hacer frente a las dificultades, pero también establecer una relación directa con el mundo, mucho más que una relación solo con el padre, como solía suceder en las familias del pasado. El único inconveniente sería que el niño se sienta demasiado responsable y socialmente solo para ayudar a su madre. No es lo habitual, pero las cosas pueden ir mal en cualquier tipo de familia. En una familia monoparental, puede suceder que la madre sea desgraciada (lo que no suele pasar en la mayoría de las situaciones); tal vez el hijo se sienta agobiado por ser el principal compañero emocional de su madre, lo que puede dificultar el establecimiento de otras amistades o relaciones. Pero este tipo de situación es rara y la gente puede sentirse desgraciada en cualquier clase de relaciones. Afirmar que ser desgraciado o tener problemas psicológicos se deriva de forma directa de la situación familiar monoparental no es más que un prejuicio. Existen numerosos ejemplos para sostener que los niños que han crecido solo con su madre se desarrollan perfectamente bien. Y, después de todo, la generación de los años sesenta también proviene, en muchos casos, de familias monoparentales, las de las madres solteras de la Segunda Guerra Mundial, que han salido adelante mientras los padres estaban lejos.

¿QUIÉN NECESITA UN MODELO MASCULINO?

—*¿Las mujeres también están influidas por este sistema?*

—No es raro que algunas mujeres permanezcan casadas porque están convencidas de que un niño debe tener a sus dos progenitores. A muchas mujeres les gustaría divorciarse porque consideran que su marido no hace nada para lograr una verdadera relación, pero dudan «a causa de los hijos».

Detrás de esta razón está la idea de que todo niño necesita un modelo masculino. Pero ¿qué significa eso exactamente? ¿Un modelo de qué? ¡Esperemos que al menos no sea el modelo de la persona o del comportamiento que horrorizan a la madre! ¿Será entonces el modelo de alguna «masculinidad mágica» que trasciende las características individuales de ese hombre en particular? En otras palabras: si el hombre no es lo que la mujer desea en cuanto a valores, ¿por qué quisiera que su hijo lo tomara como modelo?

—*Tal vez piensen que debe haber un modelo masculino, cualquiera que sea...*

—¿Una especie de caja de sorpresas que contiene la «masculinidad»? Falta que lo demuestren las investigaciones: no siempre es malo para un niño no tener padre. Los que crecen solo con su madre pueden mantener relaciones mucho mejores cuando son adultos que los demás hombres.

Al adaptarse al sistema de grupo de los hombres, a menudo se sienten desgarrados. Por un lado, cuando se les pregunta: «¿Quién es tu mejor amigo?», la mayoría responde: «Mi mujer» o «Una mujer que conozco». De este modo, al manifestar su preferencia por una mujer, ¿reniegan del grupo de hombres? Y cuando frecuentan ese grupo de hombres sin invitar a su amiga, ¿la están traicionando? En la práctica, la mayoría de los hombres buscan excusas para explicar a los demás por qué están con ella y no la invitan a participar en sus grupos. Llegan a disimular el tiempo que pasan con su mejor amiga para que no se note demasiado y no suscite cuestiones de lealtad hacia el grupo ni interfiera con el tiempo que se supone que deben pasar con él.

Frente a este dilema, ¿cómo puede reaccionar el hombre? ¿Tiene que sentirse hipócrita porque no pasa tiempo con «una gran amiga» o «cierta mujer»? ¿O tiene que sentirse hipócrita cuando está «con los colegas»? No cabe duda de que los hombres aprecian el sistema de comunicación desarrollado a lo largo de los siglos por las mujeres (¡nada que ver con las hormonas!), así como los momentos pasados lejos de las tensiones del mundo de los varones. Algunos hombres a los que les gusta la compañía de las mujeres no logran disfrutar por completo porque no cesan de librar un combate interior: ¿no se están traicionando a sí mismos, no preferirían «ser libres»? Basándonos en el *Edipo crecido,* podemos comprender por qué.

—*¿Por qué le interesa el comportamiento masculino? ¿Cómo hace para descubrir qué son los hombres?*

—Me intereso por los hombres y por la psicología masculina y explico aquí el objetivo de mi investigación porque es una de las claves esenciales para el cambio. Pero también porque este tema se ha estudiado poco y nunca desde el punto de vista que yo he escogido, que consiste en explorar la contradicción que existe entre lo que los hombres experimentan y lo que piensan que deberían sentir sobre la cuestión de ser hombres. No hace mucho tiempo han aparecido algunas teorías sobre la masculinidad, pero aportan pocos datos. Las que he leído no son nuevas ni muy profundas. Al trabajar con nuevos datos, se podría llegar a algunas percepciones teóricas, pero reunir dichos datos puede resultar difícil; agrupar datos interesantes lleva mucho tiempo, incluso con ordenadores, y es muy complicado.

Según afirman algunos, mis datos son más fiables que la mayoría de los que existen. La mejor demostración es que han resistido la prueba del tiempo y que las conclusiones que se han extraído, que en su momento eran novedosas, han resultado exactas. Por desgracia, los investigadores que trabajan sobre los comportamientos sociales utilizan de forma casi invariable preguntas a las que hay que responder sí o no, o cuestionarios con elecciones múltiples («señale con una cruz la que corresponda»), porque es menos caro y más rápido. Por mi parte, utilizo preguntas en profundidad. Esto es lo que aporta a mis trabajos su armonía humana, abriendo asimismo nuevas perspectivas teóricas.

En ciencias sociales, para estudiar las cosas de un modo original y proponer interpretaciones nuevas, es preciso comenzar por plantear preguntas detalladas, preguntas que vayan al fondo de las cosas. Luego hay que reunir todos esos datos y, pacientemente, encajar todas las piezas. No se puede empezar con preguntas preparadas por adelantado, ofreciendo como opciones las respuestas que se cree que se elegirán. Este método implica presuposiciones, no es objetivo. Sin embargo, los estudios de mercado y las investigaciones académicas en psicología se valen con frecuencia de esta vía, que los medios de comunicación consideran científica sin razón, porque contar las respuestas parece simple y claro. En otras palabras, los cuestionarios con elecciones múltiples no son buenos instrumentos para estudiar la sociedad porque se basan en lo que el investigador cree que la gente va a responder, cómo va a responder y lo que ha respondido en el pasado. Aunque proliferen tales investigaciones, no constituyen buena ciencia.

EL PORVENIR DE LA SEXUALIDAD MASCULINA

—*Ha afirmado que le gustaría presentar una visión radicalmente diferente de «lo que son los hombres» y de lo que es la sexualidad masculina. ¿Está sugiriendo que todavía no se ha descubierto «la verdadera sexualidad masculina»?*

—Exacto. Hoy la sexualidad masculina se disimula bajo un espeso velo de obligaciones y vetos. Está determinada por una ideología que ensalza la «naturaleza animal de los hombres» y que pone «instintivamente» en relación su placer sexual

105

con un deseo de batirse y dominar («¡sé heroico!»). Discutiremos con mayor detalle la construcción social de esta sexualidad masculina [véanse caps. 3 y 4]. Basándome en mis abundantes investigaciones, puedo afirmar que los hombres están tan interesados como las mujeres en los intercambios sexuales y los juegos eróticos. Los hombres serían mucho más abiertos si, mediante la brutalidad o viendo a otros niños embrutecerse, no aprendieran a seguir a los demás nada más que para meter el palo en el hormiguero. Las metáforas y expresiones violentas relativas a la práctica sexual masculina —«echarle un polvo», «tirarse a una tía», «clavarle la polla en el culo», etcétera— se derivan de nuestra cultura y de nuestra historia y no son de ninguna manera la expresión inevitable de la naturaleza. En el futuro, la sexualidad puede desembarazarse de estos esquemas reductores que no le sirven al hombre ni a la mujer y adoptar otras formas que reflejen la naturaleza diversa y abierta de la sexualidad que le corresponde al hombre acoger.

3
PUBERTAD Y DESPERTAR SEXUAL: FREUD DESMONTADO

—*¿Sus tesis sobre la pubertad se inscriben en una tradición filosófica?*

—Mis teorías no caen del cielo. En realidad, durante tres siglos, las ciencias sociales han ido desarrollándose y el análisis de la sociedad en la que vivimos se convirtió en un tema de primera plana en el curso del siglo pasado. Mi trabajo se incorpora a una larga fila de pensadores que se esfuerzan por comprender la sociedad desde un punto de vista objetivo, racional o «científico». ¿Cuándo se inició la ciencia social? ¿Fue con Jean-Jacques Rousseau o con el racionalismo del siglo XVIII?

Desde hace un siglo o dos, la «ciencia» se ha interesado por «nosotros», los individuos que vivimos en sociedad. Antes el método científico se aplicaba al mundo físico: la astronomía, la física y la mecánica. En el siglo XX, alentados por los logros de la ciencia y la observación objetiva, varios investigadores quisieron aplicar los mismos métodos al estudio de las sociedades humanas. Uno de los campos nuevos más interesantes fue y sigue siendo la antropología, en la que se cuentan ilustres escritores y científicos tan famosos como Margaret Meade y Malinowski, quienes han mostrado que lo que nosotros consideramos natural en una sociedad podría no serlo tanto en otras.

Por suerte, han descrito las diferentes culturas que existían en su época. En la actualidad no hay una parte del mundo, por muy alejada que se encuentre de Occidente, que no haya sufrido la influencia de las ideas y los valores occidentales por medio de las comunicaciones modernas (televisión por satélite, radio, Internet, publicidad y cine). Por lo tanto, sería difícil encontrar un ejemplo puro de cultura no occidentalizada.

En el transcurso del siglo se han impuesto otras disciplinas de las ciencias sociales, dedicadas al estudio de nuestros comportamientos y estructuras sociales, tales como la psicología y la sociología. El punto de partida fue el siguiente: puesto que todo puede estudiarse racional y objetivamente, ¿por qué no nuestra propia sociedad? ¿No sería útil la mirada fría del análisis? Este planteamiento convenció a algunos, pero desagradó a muchos de los que fueron estudiados. Abundaron los que afirmaban que todo cambio en los valores tradicionales de nuestra sociedad —e incluso toda revisión de dichos valores— significaría la destrucción de la civilización. Sí, el análisis objetivo suele tener el efecto de hacer reaccionar a la gente una vez que ve las cosas diferentes.

Algunos de los pensadores y escritores más conocidos del siglo XX por sus trabajos en el campo del «estudio de nosotros mismos» han sido Sigmund Freud, Simone de Beauvoir, Alfred Kinsey y yo misma. Todos fueron muy criticados y temieron al final de su vida ver que sus ideas no eran comprendidas.

—*¿Considera a Freud un científico o un ideólogo?*

—Freud y Simone de Beauvoir, que trabajaron a tres décadas y dos culturas de distancia, vieron el mundo de manera completamente diferente. Freud elaboró un nuevo modo de considerar al individuo en sus relaciones con la sociedad, desarrollando mucho la noción de identidad individual y otorgando sus cartas de nobleza a la palabra sexo en el discurso científico. Según él, cada persona tenía no solo un alma (la Iglesia) y una ciudadanía (el Estado), sino también una libido y un desarrollo interior cuya impregnación esencial sucedía durante la infancia, y continuaba viviendo en el interior de la persona, sin que esta lo supiera a menos que emprendiera el proceso que Freud denominó «análisis». Según él, esta psicología inconsciente llevaba a la gente a expresar sus conflictos interiores, una vez convertida en adulta, pero de una manera poco clara. Consideraba que estos conflictos solían estar ligados al deseo sexual y a los tabúes.

En cierto sentido, Freud era un fundamentalista de primera clase disfrazado de científico. Ambicionaba ayudar a la gente a comprender cómo podría adaptarse mejor a la sociedad y a sus normas descubriendo por el análisis dónde residían sus traumas. Tal hallazgo debía permitir al paciente identificar lo que no funcionaba en su comportamiento y ayudarle a superar sus resistencias a las normas de la sociedad. Pero, en esta teoría, el individuo no debía poner en tela de juicio la equidad e imparcialidad de las normas sociales. Para Freud, una de estas instituciones incontestables era la sexualidad (reducida al coito) y otra la categorización tradicional de los géneros (femenino y masculino se imponían indiscutiblemente).

LA ARROGANCIA DEL DOGMA

—*¿Freud un fundamentalista? ¿Por qué, por ejemplo?*

—En el campo de la sexualidad, Freud afirmó —sobre ninguna otra base más que sus conversaciones con tres burgueses de Viena— que las niñas, en el momento de la pubertad, debían trasladar la estimulación que necesitaban para orgasmar del clítoris a la vagina, o de lo contrario seguirían siendo «inmaduras». Sin duda, no es científico rechazar los hechos (las mujeres gozan por estimulación del clítoris) y sostener que no tenían razón y debían «cambiar su cuerpo». Más que la teoría de un científico, era un decreto de alguien que se veía como Dios Padre. Lo menos que cabe decir es que Freud ha hecho gala de mucha arrogancia al creer que podía enunciar dogmas así, de manera que la realidad se plegara a sus teorías y pensando que la mujer desviaría los caminos de la excitación y del orgasmo de una parte del cuerpo a otra... Con un fin, sin duda: demostrar que el coito también ha de complacer a las mujeres, puesto que es el que conduce a los hombres al orgasmo. Y lo que es bueno para los hombres...

—... *debería serlo para las mujeres. Muchos lo creen todavía, ¿no?*

—Aunque muchas generaciones de escritores hayan fruncido el ceño ante estas afirmaciones de Freud, tan absurdas como complacientes consigo mismo, ha sido preciso esperar décadas para que alguien las ponga en tela de juicio y realice una investigación verdadera sobre gran cantidad de mujeres para descubrir la realidad (y el resultado de estos trabajos ha desembocado en una nueva teoría de la psicosexualidad femenina). En mi propia investigación, realizada durante los años noventa, he estudiado a más de tres mil mujeres mediante sus testimonios anónimos. Hasta entonces, se admitía que «tenían un problema con el orgasmo», pues se comprendía que, si habían de orgasmar, debía ser obligatoriamente durante el coito: habiendo proclamado esta verdad Freud, la Iglesia y la sociedad, las verdaderas preferencias femeninas no merecían ningún interés científico. Y cuando se decía que «es más difícil para las mujeres que para los hombres», se reaccionaba moviendo la cabeza en signo de afirmación y suspirando: «Así es la vida...», o se invocaban «bloqueos psicológicos» que se remontaban a la infancia, época en la cual habían aprendido las mujeres a estar «inhibidas».

En realidad, las observaciones han mostrado que las mujeres se corren fácilmente mediante la estimulación que emplean cuando se masturban, que no es la que reciben durante el coito. Lo cual expondría a las claras que no tenían ningún problema de orgasmo y que era la definición de la sexualidad la que debía cambiar, no la anatomía o el cuerpo de las mujeres.

CONTRA FREUD Y LOS FUNDAMENTALISTAS, UN NUEVO PARADIGMA

—*Así pues, ¿todo Freud es falso?*

—Uno de sus mayores errores teóricos fue despreciar las ideas feministas que existían en esa época. Mujeres como Elizabeth Cady Stanton y otras defendían ideas excelentes e interesantes escribiendo libros importantes y muy leídos al final del siglo XIX. En su lugar, prefirió basar sus teorías solo en el punto de vista masculino (aunque jamás utilizó esta terminología), considerando con arrogancia que era universal. Por ejemplo, parecía pensar que sus teorías sobre la pubertad de los niños podían aplicarse también a las niñas. Como si el pronombre «ellos» igualmente pudiera significar «ellas», Freud supuso que sus teorías, formadas con la experiencia masculina, asimismo debían valer para la experiencia femenina.

A mediados del siglo XX, Simone de Beauvoir escribió un libro muy pormenorizado que se convirtió en una leyenda en todo el mundo: *El segundo sexo*. En el prólogo decía que para comprender a las mujeres es necesario olvidar a Freud. Y tenía razón. Generaciones de eruditas, psicólogas y feministas, animadas por una cólera justa nacida de sus afirmaciones degradantes sobre las mujeres, han descartado sus teorías, desnudando sus defectos y proponiendo nuevas formas de ver la realidad social.

EL DESPERTAR TUMULTUOSO DE LOS NIÑOS

—*¿Se ha hecho lo mismo en lo concerniente al desarrollo de los niños?*

—No, realmente; pero yo intento hacerlo basándome en mis investigaciones, gracias a las cuales se puede examinar desde otro aspecto de qué modo viven los niños su pubertad. En mi teoría del *Edipo crecido* [véase cap. 2], su despertar sexual combina a la vez el inicio del deseo y la negación de la importancia de las mujeres, incluida la de la madre. Mis investigaciones muestran que, durante largos meses, intentan encontrar una salida a ese deslizamiento radical que les conduce a «lo que deben ser», para definir a pesar de todo su nueva identidad en algo que se asemeja a una «oscura noche del alma».

En la pubertad, los niños descubren que poseen una capacidad maravillosa, la de gozar sexualmente; pero al mismo tiempo aprenden que no les está ya permitido permanecer en el universo de las mujeres. Hasta entonces han sido muy cómplices con sus madres, pero deben alejarse, y a veces lo viven como una deslealtad por su parte.

EL HIMEN, ¿TODAVÍA UN MITO?

—*Hace una distinción entre la pubertad de las niñas, que pasan por un «despertar reproductivo», y el despertar sexual de los niños. ¿En qué consiste?*

—Sí. Desde un punto de vista sexual, las niñas no viven una pubertad sexual en el sentido de los niños, que experimentan un «despertar sexual». Durante su pubertad, las niñas pasan por un despertar reproductivo, pero no por un despertar sexual. Mientras que los niños comienzan a experimentar el orgasmo con eyaculación en la pubertad (desde los diez o doce años), las niñas son capaces de orgasmar completa y regularmente cuando son mucho más pequeñas, a menudo a partir de los cinco o seis años, según mis investigaciones, que tampoco confirman la creencia de que existe en ellas una virginidad física, ese himen que debería ser penetrado o desgarrado la primera vez que una chica hace el amor. La mayoría de las chicas y las mujeres afirman no haber experimentado dolor intenso ni sangrados durante la primera relación sexual.

—Queda una cuestión espinosa: si nada prueba que los cambios hormonales responsables de las primeras reglas incitan a la vez a las chicas a hacer el amor, ¿qué es lo que las impulsa? ¿Y por qué se pintan los labios?

—Mis investigaciones muestran que las niñas tienen orgasmos con menos edad que los niños, lo cual quiere decir que cuando las mujeres desean hacer el amor el orgasmo no es necesariamente el fin último.

Como sufren fuertes presiones sociales para tener ese comportamiento en función de su edad, nunca sabremos si lo que hacen depende de un «comportamiento animal» o no, del mismo modo que no podemos saber en qué medida las pulsiones sexuales masculinas son resultado de una construcción cultural y social, frente a lo que depende de la biología: el viejo debate de lo innato y lo adquirido. Todo lo que sabemos sobre los cambios físicos que intervienen en la pubertad en los niños es que pueden eyacular y tienen tendencia a masturbarse con mucha mayor frecuencia que cuando eran más pequeños (si es que lo hacían). No podemos afirmar o suponer que el resto del comportamiento de los niños es resultado de un «instinto hormonal» que les impulsa a fornicar y reproducirse, puesto que no es posible demostrarlo científicamente. Después de todo, si en la Grecia antigua fue preciso promulgar una ley para que los hombres copularan con su mujer al menos tres veces al mes, se podría aducir para afirmar que los niños deben aprender a dirigir su instinto sexual al coito. Durante su adolescencia, cerca de la mitad practican juegos sexuales con otros niños hasta el orgasmo, como se ha puesto de manifiesto en mis investigaciones y las de Alfred Kinsey, entre otros.

¿Cómo podremos saber lo que es «natural» en los niños? Sería preciso vivir en otro planeta desde donde no se escucharan las ideas y las presiones que moldean el comportamiento. Solo así se llegaría a saber lo que sería natural en el comportamiento sexual.

Tanto las investigaciones de Kinsey como las mías muestran una sexualidad intensa en los niños de doce a dieciséis años, mientras que no se observa el mismo fenómeno en las niñas. ¿Es el «instinto hormonal» el que empuja a los niños hacia juegos sexuales con sus semejantes? Cerca de la mitad tiene una actividad sexual de uno u otro tipo con otro niño. Puede tratarse de tocamientos, pero también puede haber penetración y felación. La conclusión que se suele extraer de esta información («los niños hacen el amor juntos») es que «los hombres son así. Sus pulsiones sexuales son más fuertes que las de las mujeres. Les gusta la sexualidad, pero como a esa edad no pueden hacer nada con las chicas, se las apañan entre ellos». Al realizar dicha afirmación, se olvida cómodamente que las niñas se masturban y pueden orgasmar mucho más temprano que los niños. ¿No cabría afirmar entonces que «las niñas sienten más atracción que los niños por la sexualidad»? (¿Pero por qué tenemos que hablar siempre en términos de competición?...) La pregunta que habría que plantear sería: «¿Por qué las niñas no tienen tampoco relaciones físicas entre ellas?».

EL TABÚ SEXUAL MADRE-HIJA

Cuando las niñas crecen, una de las lecciones más estrictas que aprenden de su madre —y lo hacen de manera tácita— es que una mujer no toca jamás a otra (en este caso, su madre), ni la mira entre las piernas o, más en general, por debajo del cuello...

¿Qué sucede cuando una niña de uno a tres años trata de tocar el cuerpo de su madre para descubrir cómo y por qué es diferente del suyo? Según mis investigaciones, uno de los pilares de la identidad sexual femenina se elabora entre las edades de uno y tres años, fenómeno que ni Freud ni ningún teórico de la psicología han resaltado.

—*¿Y es mucho más complicado que eso?...*

—Aunque las relaciones madre-hija han mejorado estos últimos años, subsiste un bloqueo en un plano más profundo. En esta relación se produce muy temprano un traumatismo importante que condiciona las relaciones futuras de una mujer para el resto de su existencia. Entre la edad de uno y tres años, la niña percibe que el cuerpo de su madre es diferente al suyo: ella tiene pechos, caderas redondas y vello púbico. Esta parte «mágica» del cuerpo de su madre, del que ha nacido, la intriga y le plantea muchas preguntas. Para el niño, su cuerpo no es tan diferente del de su padre, aunque sea más pequeño: es una especie de modelo reducido del cuerpo de su padre. Además, el pene del padre es visible para el niño (bajo la ducha, mientras se viste, etc.), mientras que la vulva de la madre no es visible casi nunca. Está oculta detrás del vello púbico y entre las piernas de la madre, y las mujeres han aprendido conscientemente a mantener las piernas juntas.

Ahora bien, la niña muy pequeña, con total naturalidad, quiere acercarse al cuerpo de su madre, tocarlo y explorarlo, mirar más de cerca la vulva, el vello púbico, los pechos, y descubrir por qué son diferentes. Pero aprende enseguida que no debe hacerlo. Cuando tiende la mano para tocar a su madre «en esos lugares», esta retrocede y lo evita bruscamente.

Para una niña, es la primera lección que recibe en sus relaciones con otra mujer. ¿Por qué no ha hablado Freud de esta primera etapa tan importante? Aunque la niña crece sabiendo como corresponde que su madre es un ser sexuado y sexual, debe hacer como si lo ignorara. Manifestar un interés demasiado insistente por su cuerpo parecería vulgar o fuera de lugar.

—*¿Influye esta constante en la vida futura de las mujeres?*

—Sí; así se moldean las futuras relaciones entre mujeres adultas. Estarán marcadas por este reflejo de bajar los ojos, la convicción instintiva de que el único comportamiento admisible ante otra mujer es no mostrar el cuerpo sexual, no mirar el cuerpo de otra mujer. Así se ha creado, desde los primeros años de la relación madre-hija, un temor psicológico, una distancia entre mujeres.

«¡MANTÉN LAS PIERNAS JUNTAS!»

Las niñas siguen hoy inmersas en actitudes muy negativas en relación con sus órganos genitales. (Se ocultan las reglas y el uso de tampones o compresas; se las recomienda tener las piernas juntas, etc.) La comparación entre la manera de crecer de los niños, pudiendo ver y tocar sus órganos sexuales en la vida cotidiana, incluso mirar los de los demás, y la de las niñas, que crecen sin ver su sexo, sin siquiera hablar del de otras niñas u otras mujeres, resulta llamativa. Y esta dificultad de ver las conduce fácilmente a creer que lo que afirman los clichés tal vez sea cierto, que lo que hay «ahí abajo» no es «bonito», que es «feo como una herida».

Mientras que un niño que se interesa por su cuerpo se ve y se toca el pene todos los días, eso no ocurre en el caso de las niñas. La posición de sus órganos genitales se lo impide. Para mirar «ahí abajo» no solo necesita colocarse delante de un espejo, sino además adoptar una posición muy particular en la que se sentirá incómoda. De hecho, numerosas mujeres viven toda la vida sin haberse mirado nunca atentamente la entrepierna.

La forma en cómo se construyen los aseos, en los colegios por ejemplo, es reveladora. Los niños deben exponer más o menos su pene a la mirada de los demás, un poco como si se les pidiera observarse. Pienso que es una buena idea que tengan un medio de comparación y que no se sientan aislados. Por el contrario, el aislamiento de las niñas y la alienación de su propio cuerpo se refuerzan por la construcción de los aseos públicos para mujeres (cada una se encierra en un habitáculo separado). Esta característica corre pareja con los constreñimientos morales y las presiones de la sociedad, que quiere inculcarles lo que es ser una «niña bien».

Así pues, cuando las niñas van al aseo, no hay ningún espacio público donde deban dejar ver sus órganos sexuales (como en el caso de los niños), y el mensaje es claro: «Hay que callar, se trata de cosas de las que no se debe hablar, de cosas muy íntimas que no se deben compartir con otras niñas». Por lo tanto, los aseos están dispuestos de tal modo que refuerzan la idea de que el sexo de las mujeres es un lugar del que ninguna niña bien educada desearía hablar. Pero sucede que las niñas tienen preguntas, como esta, embarazosa, que plantea una pequeña de cinco o seis años: «¿Cuántos agujeros tengo?».

—¿Y qué hay que hacer? ¿Es preciso «mostrarlo» a todo el mundo?

—Es evidente que no se trata de afirmar que debemos inventar una sociedad en la que las niñas y los niños deban mostrárselo todo unos a otros en el colegio, ni que las niñas deban actuar como los niños. Solo intento explicar hasta qué punto estamos atados por nuestra cultura, olvidando incluso preguntarnos adónde vamos. ¿Cómo podríamos pretender conocer nuestra naturaleza sexual cuando nos acosan sin cesar mensajes subliminales sobre nuestro cuerpo?

En resumen, los niños por lo menos ven el pene de los demás y no consideran que el suyo sea particularmente misterioso; pero las niñas, que jamás ven su vulva ni la de otra, sienten la tentación de creer lo que se dice —que «ahí abajo» hay una cosa «sucia», «mala»—, tanto para las niñas como para los niños; además puede haber confusión entre órganos excretores y órganos sexuales, lo que refuerza el problema. Estas actitudes se han fijado a lo largo de los siglos, reforzándolas los padres en sus hijos. Sin duda, no se trata de afirmar que el niño viene al mundo en un espacio neutro y después llega progresivamente a pensar así. Pero si los padres ya están convencidos de que el sexo es sucio y toda la educación unida con los aseos refuerza este sentimiento, los niños pensarán que su pene es independiente de ellos y que va a hacer «cosas» por sí mismo...

—¿De qué forma está «fuera» de tu cuerpo?

—Está «ahí abajo», es algo que hay ahí abajo. Y nunca sabes si va a funcionar y ayudarnos a orgasmar, no sabes nunca si se va a erguir y hacer lo que debe en el momento adecuado. En pocas palabras, todo pasa por el filtro de este sistema que te hace creer que esta zona del cuerpo no forma realmente parte de ti. El «tú» verdadero es el niño listo, sentado a la mesa familiar, que habla de su clase de matemáticas. El «tú» verdadero no es el que estaba en los aseos...

LA MADRE, CENTRO ERÓTICO DEL HOGAR

Hay otra forma de abordar la cuestión... Aunque no se piensa nunca en una madre en estos términos, ella es el centro erótico del hogar.

—*Explíquese...*

—Cada niña (y cada niño) sabe que ha estado en el vientre de su madre, que su cabeza ha pasado por su vagina, pero que nunca jamás deberá ver esa vagina, que nunca jamás su cabeza estará cerca de la vulva de su madre y que nunca jamás debe intentar tocar, ni siquiera ver, esta parte del cuerpo de su madre: existe ahí un tabú extremadamente fuerte. (El niño, por su parte, habrá aprendido que, «cuando sea mayor», podrá ver y sentir el cuerpo de una mujer cerca del suyo y meter una parte de su cuerpo en esa parte del cuerpo femenino por donde él ha pasado, la vagina.) Desde ese momento, se desarrolla una potente mitología sexual alrededor de la madre, sobre todo en las niñas.

La estructura familiar tradicional, con su arquetipo de madre pura y asexuada, enseña a las mujeres a valorar la distancia que ponen entre ellas y el sexo femenino. Aunque una niña debe guardar las distancias en relación con su padre, siempre existe ese guiño de la sociedad que dice: «De acuerdo, pero a los hombres les gustan las niñas seductoras». También se dice a las niñas: «Cuando seas mayor, un hombre descubrirá tu cuerpo y tú descubrirás el suyo». Por lo tanto, hay menos alienación y distancia entre hombres y mujeres porque, aunque un hombre y una mujer mantengan una relación que no tenga nada de sexual, es tranquilizador pensar que se acepta que el cuerpo del otro forma parte de su identidad global. Por el contrario, aunque exista a menudo una excelente amistad entre mujeres, el primer tabú sexual provoca una vacilación psicológica, una especie de confusión. Y puesto que dicho tabú no se reconoce (es un descubrimiento reciente de mi investigación), ni el origen de los sentimientos que suscita, arroja una sombra sobre las relaciones entre las mujeres y las hace más sensibles a una especie de recelo, a una sospecha constante, a veces hoy particularmente fuerte entre las mujeres que trabajan juntas.

—*¿Cómo pueden superarlo madres e hijas y reconocerse mutuamente como seres sexuales? ¿Qué deberían hacer las madres para romper este círculo vicioso?*

—Es evidente que para la madre no se trata de exponer vulgarmente sus partes íntimas, ni de hablar de sexualidad entre obras clínicas: esta manera de ser «franca y moderna» no permite a las niñas superar los temores que se les han inculcado sobre los órganos sexuales femeninos o la idea de ver a su madre como una mujer «completa», es decir, sexuada. Para salir de este esquema, cada madre debe construirse, con su propia iniciativa, una nueva forma de comunicarse con su hija, en general, revelando informaciones personales sobre sus experiencias y sentimientos sexuales, lo que sin duda no es fácil.

Aprender a reconocer la sexualidad de las demás mujeres no significa: «Ahora, que todas las mujeres abran los ojos y vean su identidad lesbiana». Significa que debemos darnos cuenta de hasta qué punto este tabú crea tensiones y recelo entre las mujeres para poderlas superar. Muchas, en determinado plano, sienten que una parte de sí mismas es «indecible». Se encuentran más a gusto con los hombres porque con ellos su ser sexual es aceptado.

En la pubertad, muchas chicas tienen una «mejor amiga», una relación especial o una amistad intensa con otra chica. Sin duda alguna, debe estudiarse como parte del desarrollo de las niñas en la pubertad y no zanjarse como una «etapa del desarrollo antes de que las niñas aprendan a ser heterosexuales».

¿«ENVIDIA DEL PENE»? ¡NO, DEL PODER!

—*También se rebela contra la teoría freudiana de la envidia del pene. ¿En qué es discutible?*

—Uno de los grandes errores de Freud ha irritado a Simone de Beauvoir y a Phyllis Chester, una de las teóricas más importantes del feminismo, famosa por su obra fundamental titulada *Women and Madness,* que hace una crítica radical de la pretendida inferioridad de las mujeres en el mundo psiquiátrico. Esta idea era la teoría freudiana de la envidia del pene, una idea tomada muy en serio por el mundo del psicoanálisis y la psiquiatría, que se desarrolló después de la muerte de Freud. En cierto modo, Freud comprendió que las mujeres envidiaban a los hombres, pero no vio más allá. Las mujeres no les envidian el órgano llamado pene, sino solo lo que simboliza: el poder de los hombres sobre ellas y sobre la sociedad. La solución justa, bien conocida hoy, es que los hombres y las mujeres compartan el poder en la sociedad, y no que las mujeres deban hacerse psicoanalizar para descubrir por qué han odiado a su padre.

A lo largo de toda su existencia (su carrera concluyó al final de los años treinta), Freud debió luchar para que sus ideas fueran reconocidas por el *establishment*. Pero por fin, en los años treinta y aún más en los cuarenta —sobre todo en Estados Unidos—, sus ideas comenzaron a calar y fueron aprovechadas por el medio universitario masculino, intrigado por el *leitmotiv* sexual de su obra: sus libros ofrecían referencias sexuales aceptables en la medida en que se enunciaban en una terminología de apariencia científica y clásica. Por añadidura, este aparato teórico orientado hacia la terapia (lo que debió de seducir a los médicos) permitía barrer oportunamente bajo la alfombra las voces cada vez más discordantes de un fuerte movimiento feminista. El *establishment* médico también debió de apreciar ver cómo los facultativos se convertían en especialistas todopoderosos, afanados en salvar a los hombres y a las mujeres de los nuevos demonios del inconsciente, como modernos chamanes capaces de atrapar a los duendes de la infancia... Durante los últimos años de su vida, Freud recorrió las universidades de la costa este de Estados Unidos, complacido por el reconocimiento otorgado a su obra. Esta se sitúa entre la medicina y la psicología, y con ella apareció un nuevo mediador social, una especie de Iglesia laica.

UNA NUEVA FORMA DE CONTEMPLAR LA SEXUALIDAD DE LAS NIÑAS

Mis investigaciones sobre la sexualidad femenina han demostrado que Freud se equivoca sobre el orgasmo femenino. Mi conclusión es que no son las mujeres las que han de «cambiar su cuerpo», sino la sociedad la que ha de revisar sus ideas sobre lo que realmente es la sexualidad, puesto que ellas pueden casi siempre orgasmar fácilmente mediante la masturbación del clítoris o de la región púbica. ¿Por qué no se convierte esta manera de actuar en parte integrante de lo que es la sexualidad, incluyendo explícitamente, por primera vez en siglos, la estimulación que necesitan para correrse?

—*¿Hay alguna parte en la que coincida con Freud?*

—Mi trabajo tiene una cosa en común con el de Freud, en la medida en que ofrece, como el suyo, una visión panorámica de la vida personal, de la sexualidad y de las relaciones con los demás. Si Freud ha mostrado al «ello» en lucha con una realidad social inmutable, en particular en la vida sexual y privada, por mi parte, yo he mostrado al individuo creando heroicamente un nuevo orden social mediante su comportamiento individual y su cuestionamiento: es el poder del individuo frente al poder de la tradición social. Mi trabajo, como el suyo, considera la sexualidad una de las claves indispensables —incluso la clave— para comprender cómo interactúan individuo y sociedad bajo la superficie.

En el transcurso de los últimos cincuenta años, se ha desmentido prácticamente el conjunto de sus teorías específicas, y en particular las relativas a las mujeres. Tendían a medicalizar ciertas reacciones justificadas frente a situaciones injustas y a menudo han permitido describir comportamientos femeninos, en sí positivos, como «enfermedades que es preciso tratar». Lo cual implicaba que el orden social se había fijado de una vez por todas, para el bien común, desde luego. No estaba sometido a la crítica individual, puesto que toda revuelta, femenina o masculina, pasaba por una manifestación de inmadurez o por un comportamiento desviado. Comportamiento que se pretendía tratar mediante una terapia o un análisis, para ayudar al individuo a superar sus desviaciones. Por desgracia, estas teorías han abierto la vía a una utilización desviada de la psiquiatría en la ex Unión Soviética y otras partes para conducir a la razón a los disidentes, bajo pena de recibir un tratamiento «adecuado».

—*En el primer capítulo afirmó que las mujeres han aprendido a no atacar al sistema de frente. ¿Continuará siendo así?*

—La construcción de la psicología femenina pasa por numerosas etapas, durante las cuales la cultura, poco a poco, impone sus reglas, a menudo a través de la familia y las actitudes tradicionales hacia las niñas. La «mujer media» es hoy perfectamente consciente de las estrategias que la cultura despliega para imponerle su papel, y contra eso combaten las mujeres.

4
LA PORNOGRAFÍA O LA LEYENDA
DE LA BESTIA INDOMABLE

—*¿Qué problema hay con la pornografía? ¿Por qué la rechaza?*

—¿No la encuentra terriblemente previsible? Juega con un viejo sistema de valores, está anticuada y, sobre todo, no comprende nada (¡nada en absoluto!) a la nueva mujer y su sexualidad. Sus mediocres artesanos nos interpelan diciendo: «¡Eh, mirad lo audaces que somos!». Pero todo el mundo ha visto ya eso. Se muestra a las mujeres sumisas y «poseídas» por el hombre o en una posición dominante; los hombres aparecen como animales que quieren violar y conquistar. De cualquier forma, burlarse de los valores tradicionales, como pretende hacer la pornografía con el propósito de escandalizar, no es una postura revolucionaria ni una crítica ideológica de la sociedad. Sería tener una idea muy pobre de la política. En la mayoría de los casos, la pornografía pone en escena la opresión de las mujeres y trata de afirmar que a ellas les *gusta*.

No me agradan los clichés que transmite sobre las mujeres y los hombres. Pretendiendo representar la naturaleza, destruye la capacidad de la gente para mantener relaciones naturales. En otras palabras, la pornografía es un proceso de alienación y embrutecimiento. ¿Pero por lo menos es *sexy?* Se puede obtener placer siendo a veces «nada más que un animal», nadie lo niega, pero también es verdad que la sexualidad puede conllevar una emoción espiritual extática. ¿Por qué permitimos lo uno y no lo otro? ¿Por qué se admite en la pornografía ser animal, pero no estar conmovido o enamorado?

Básicamente, la pornografía se dirige a los hombres o a la idea que algunos se hacen de ellos, como descubrimos todos los días en esos correos electrónicos que proponen *«chats* húmedos» y ofertas de mujeres. En esta industria se vende a los hombres el cuerpo de la mujer.

La ironía de todo esto es que, aunque la pornografía parece halagar a los hombres, en realidad se burla de ellos. Afirma y les muestra que su sexualidad es ridícula, cruda y desprovista de sensibilidad, incluso grotesca. Visualmente, les proporciona una imagen fea, brutal y estúpida. En cualquier caso, falta de toda seducción. Muchos critican el mensaje de opresión que envía a las mujeres y la imagen negativa que presenta de ellas. Por mi parte, critico además la imagen del hombre, que veo considerablemente deformada y negativa.

LOS SENTIDOS OCULTOS DE LA PORNOGRAFÍA

—*Mas precisamente, ¿qué quiere decir cuando afirma que la pornografía es negativa para los hombres?*

—La pornografía es ante todo propaganda. Se apoya en una construcción ideológica en la que el fin es dirigir a los hombres hacia un determinado modelo de actividad sexual reproductora, de decirles cuál debería ser su actitud con respecto a la sexualidad, sus cuerpos y las mujeres. En la pornografía, las mujeres tienen la función de legitimar los comportamientos sexuales masculinos tal y como se describen. No actúan por iniciativa propia (ni siquiera cuando se las representa como dominantes).

El mensaje subyacente es que en el interior de cada hombre merodea una bestia furiosa y que este animal salvaje y no civilizado es la esencia misma del ser sexual, una parte constitutiva de la verdadera naturaleza del hombre. (La hipótesis de que las mujeres podrían abrigar también una bestia semejante ni siquiera se evoca.) Ello implica que, surja de una mujer o de un hombre, toda tentativa para transformar su sexualidad sería un barniz artificial colocado sobre una «realidad biológica» inmutable.

Feministas ilustres como A. Dworkin consideran que la pornografía debería declararse fuera de la ley porque incita a la violencia hacia las mujeres. De hecho, con frecuencia azuza a los hombres para que se muestren violentos con las mujeres, lo que puede conducir a homicidios y secuestros. Actualmente, en Estados Unidos, hay quince mil mujeres oficialmente desaparecidas, y en Inglaterra numerosas jóvenes son secuestradas, violadas y asesinadas, como desenlace último de la fantasía. Yo me uniría a aquellos que quieren prohibir la pornografía en virtud de que constituye una incitación al odio a las mujeres, por analogía a la instigación al odio racial.

—*Según su opinión, ¿se puede considerar que la pornografía es una propaganda para la separación de los sexos?*

—La pornografía inculca papeles y comportamientos a los que la ven, hombres y mujeres. No hay mal alguno en buscar una excitación, pero habría que conservar siempre este mensaje en la memoria, a imagen de las advertencias impresas en los paquetes de cigarrillos: «Si veo esto, estaré expuesto sin darme cuenta a mensajes que la sociedad quiere meterme en la cabeza. Por muy listo que sea, algunos de esos mensajes van a conseguir entrar en mí y hacerme daño». La pornografía sirve de modelo al mostrar actos sexuales explícitos; cómo, en nombre del placer, los hombres deberían dominar, humillar y abusar de las mujeres, y cómo, de cuando en cuando, cada vez más en la actualidad, las mujeres deberían invertir los papeles. (¿Pero es realmente necesario que alguien esté «debajo» de su pareja?) Ello implica que esas personas desnudas están mostrando «las verdades fundamentales de la naturaleza humana». Por mucho que esa gente se desnude y se entregue a actos íntimos, no significa forzosamente que lo que hacen sea «natural» o represente la verdad de los seres humanos. La pornografía y las imágenes que transmite son cuando menos un género, una parte de un desarrollo histórico que ha visto adoptar al «material *sexy* que muestra el coito» un tono vulgar a causa de la represión ejercida por una cultura para la cual la espiritualidad es elevada, y la sexualidad, baja. Este género se ha desarrollado en reacción a la represión ejercida contra la integración sexual y emocional por los clérigos, que consideraron diabólico el sexo y a quienes participaban en él.

IMÁGENES TÓXICAS

—¿De dónde viene la tendencia, demasiado frecuente, de los hombres que se muestran violentos con las mujeres en un contexto sexual?

—En mi teoría general sobre el desarrollo de la identidad masculina [véase cap. 2] defiendo la idea de que la violencia proviene de un traumatismo que la sociedad inflige al niño durante su pubertad para romper la relación privilegiada que mantiene con su madre, un traumatismo que Freud y otros psicólogos no han contemplado, pero que surge claramente en mi investigación sobre los hombres. Desde otro ángulo, no se puede negar que la pornografía envía el mensaje *sotto voce* de que las mujeres deben mantenerse bajo control.

—*¿Piensa realmente que los hombres que consumen pornografía tienen este tipo de preocupación?*

—No. En todo caso, no en la superficie, aunque sea difícil de decir porque se los educa en la idea de que no deben reaccionar ni flaquear. Si un niño ve una escena que le indigna, deberá aceptarla y decir: «¡Vaya, estupendo! ¡Soy bueno porque soy duro!». Se supone que los niños no tienen miedo de las cosas vulgares; si es así, son unas niñas. Por eso los hombres no deben mostrar su posible desagrado cuando ven pornografía; por el contrario: cuanto más repugnante sea, menos hay que mostrar disgusto. Se trata de aprobarla ruidosamente, diciendo: «¡Sí, me gusta eso!». Por ello es difícil saber si a los hombres les gusta o no realmente. Durante ese tiempo absorben lo que denomino imágenes tóxicas, la imagen de ellos mismos como violadores. Y no cabe pensar que sea bueno para el desarrollo sexual de un hombre o para la calidad de su integración sexual con los demás. En definitiva, refuerza la idea de que, con la edad, el hombre ya no va a «triunfar», ya no le saldrá «muy bien». Eso no los hace sofisticados desde el punto de vista sexual...

—*¿Hay pornografía en el arte?*

—A algunos les gusta sugerir que hay penes por todas partes: los rascacielos, la forma de los cohetes, cualquier objeto puntiagudo, incluso los cuchillos y los puñales. Lo cual presupone que el pene, en cuanto objeto sobresaliente, representa en cierto modo la naturaleza profunda del hombre (¿mientras que los espacios interiores de abertura representarían la personalidad profunda de las mujeres?) y que esa prominencia que empuja hacia delante constituye el fundamento de la psique masculina, o la naturaleza humana del varón... Yo creo que esta visión mecanicista coloca el carro delante de los bueyes.

Sin duda, algunos artistas se consideran modernos al asociar los clichés de la pornografía con sus obras (la mayoría de las veces, en detrimento de las mujeres). Pero de este modo no hacen más que plagiar los años sesenta y reproducen estereotipos sexistas para ganar dinero. Pensemos en Cicciolina y en el cuadro que su ex marido, el célebre pintor Jeff Koons, ha hecho de ella.

«UN PENE SOBRE DOS PATAS»

—*Sin embargo, es posible que a los hombres les guste la pornografía.*

—Muchos no la consumen, algunos no la aprecian. También puede ser un momento de la adolescencia. A numerosos hombres les molesta admitir que la pornografía les excita y que eso les gusta. Para el *Informe Hite sobre los hombres,* he estudiado a siete mil hombres durante varios años, preguntándoles —de manera anónima— sobre su forma de experimentar las cosas en los planos emocional y sexual. El libro expone cuestiones complejas, como la medición de la diferencia entre los sentimientos sexuales de los hombres y sus experiencias. En otras palabras, ¿cómo se sentirían y actuarían si no existiera esa presión sexual del resultado ligado a la erección, que se presenta como la norma en la pornografía? ¿Por qué los hombres conceden tanta atención a su erección y al coito? ¿Porque se sienten bien o porque se supone que deben mostrar virilidad y potencia sexual? ¿Por qué, pues, los hombres consideran que, en general, sus orgasmos son más intensos durante la masturbación que durante el acto sexual?

La pregunta, su pregunta, es: ¿por qué los hombres se identifican con el statu quo sexual tal como se presenta en la pornografía? Si no lo hicieran, no les excitaría con tanta facilidad. La pregunta es compleja y susceptible de valoraciones interesantes. Por desgracia, aunque estas imágenes de erección pudieran incitar a los consumidores masculinos a sacar provecho de las suyas, al mismo tiempo dichos espectadores-consumidores absorben clichés contra las mujeres asociados con una experiencia de orgasmo reforzada positivamente. La pornografía desprecia a las mujeres (las muestra atadas, golpeadas, etc.), pero también desprecia a los hombres al destruir su verdadera sexualidad. En efecto, les priva de toda posibilidad de descubrimiento personal en el terreno sexual, destruye su capacidad de probar experiencias nuevas, imponiéndoles clichés como los que afirman que el «tío verdadero» es el que exhibe la más gorda y dura de las erecciones. La mayoría de las veces, en la pornografía se representa a los hombres bajo la forma de obsesos de pocos alcances que solo piensan en meter el pene en cualquier parte, o de manipuladores cínicos animados por intenciones crueles. No se ve felicidad ni emoción.

EL MITO DE LA PULSIÓN SEXUAL

—*Pero tal vez la erección es un elemento esencial de la excitación porque a muchos hombres les gusta la pornografía.*

—El cuerpo del hombre, como el de la mujer, está constituido por un gran número de sistemas ricos y complejos, glándulas, hormonas y emociones. En el embrión primitivo, los órganos sexuales masculinos y femeninos son los mismos; hasta el tercer mes no se desarrollan las estructuras fuera del cuerpo en los niños, mientras que en las niñas este fenómeno se produce en el interior del cuerpo. Por cierto, ¿no habrá una pulsión sexual femenina semejante a la hipotética pulsión sexual masculina? Lógicamente, si los hombres están animados por una pretendida pulsión biológica que les impulsa a penetrar, ¿no deberían las mujeres tener una pulsión complementaria o inversa que les condujera a abrirse? ¿O no será que todo el concepto de pulsión sexual no es más que una categoría ideológica fraudulenta, disfrazada de realidad científica?

La exuberancia sexual, el deseo, la excitación, el orgasmo, las fantasías son otros tantos estados que no se relacionan más que con «una pulsión biológica en aras de la reproducción de la especie» (esa pulsión sexual masculina que la pornografía presenta ocupando una posición central en la sexualidad). Jamás se ha aportado la prueba científica de dicha pulsión, sino una prueba circunstancial o a posteriori (el hombre se ha corrido durante el coito y le ha gustado). Pero la «pulsión sexual» como concepto ha adquirido una suerte de aura mítica y durante el siglo XX se ha vuelto intocable, indiscutible, «verdadera», un hecho... Pero hablar de ella a cada momento no la convierte en realidad.

ESA ERECCIÓN OBSESIVA...

—*Pero la erección posee su propia lógica. Se suele pensar que cuando un hombre tiene una erección «debe» correrse, ¿no?*

—¿Pero ello debe conducir automáticamente al hombre a querer penetrar a una mujer? La mayoría ha aprendido a pensar en su cuerpo como en una herramienta sexual al servicio de la reproducción de la especie. El estribillo es conocido: «Debes empalmarte, luego insertar tu sexo en la vagina, y tu sexo debe estar siempre duro, siempre listo». Este mensaje algo trivial adquiere, sin embargo, un poco de *glamour:* «Los hombres son bestias sexuales en las que las hormonas arden bajo el barniz cultural... Su programación biológica los impulsa a penetrar a muchas mujeres... La sexualidad de los hombres es de naturaleza específicamente animal... Todos somos seres naturales, pero los hombres son los más feroces. Y es preciso dejarlos ser feroces cuando quieran porque, qué le vamos a hacer, es su naturaleza...». Lo que, como es natural, priva a las mujeres de su poder si, consciente o inconscientemente, entran en esta ideología.

Así pues, según esta visión habitual que cultiva la pornografía, el hombre es «una bestia que no se controla». Algunas cosas lo excitan y ya nada lo puede detener; la naturaleza lo obliga a ir a depositar sus semillas aquí, allí, por todas partes... La llegada al mercado de la Viagra, la píldora milagrosa que ofrece a los hombres erecciones a la carta, ha reforzado esta idea de que la mecánica de la erección es el alfa y omega de la sexualidad. En realidad, aunque se trate del órgano reproductor del hombre, la sexualidad masculina no se resume en su pene.

A los chicos jóvenes la pornografía les da la impresión de que tienen un cuerpo extraño entre las piernas, que su pene no forma del todo parte de sí mismos, sino que se trata de un «trozo de carne inquietante ahí abajo». La pulla «piensa con el pene» hace daño porque implica que, cuando un hombre tiene una erección y desea un contacto sexual, no razona y se comporta como un animal. En general, la pornografía muestra que todo el mundo está de acuerdo en que el hombre se centra en su erección cuando tiene un comportamiento sexual. Se deduce que hay poca sutileza en la sexualidad masculina. ¿Es ese realmente el caso?

—*¿No está usted incluso en contra de toda erección?*

—Claro que no... La verdad es que el pene es una parte delicada del cuerpo masculino que responde con una sensibilidad exquisita a cada matiz de emoción que un hombre puede experimentar. Por desgracia, la sociedad ha inculcado en los ánimos que el «hombre verdadero» tiene erecciones a voluntad, cuando lo considera oportuno. Pero es imposible decidirlo de ese modo. Por haber querido hacerlo, muchos hombres se han visto sumidos en grandes sufrimientos psicológicos y odio a sí mismos, incluso a su pareja a menudo, porque ambos interpretan la ausencia de erección como falta de amor. Tener una erección es un momento delicioso. La cuestión hoy es saber qué se va a hacer más allá de los comportamientos aprendidos.

¿Es importante «tenerla gorda»?

—*¿Cuál es la importancia real de esas interminables discusiones sobre el tamaño del pene? ¿Es realmente necesario «tenerla gorda» para estar a la altura?*

—Eso no impresiona más que a los otros hombres, e incluso puede crearles complejos. Los niños ven fotos o películas con sus compañeros y debaten hasta el infinito el grosor del pene de los actores: «¡Si tuvieras una como esa, serías una estrella del porno!». En los años sesenta y setenta, estas teorías sobre el tamaño del pene fueron completamente desmitificadas y desacreditadas. Nadie se habría imaginado que pudieran volver bajo la forma de una idea seria y, sin embargo, así ha sido. Los hombres se incitan unos a otros a pensar que es preciso «tenerla gorda» por diversas razones absurdas. Ahí está, por ejemplo, ese anuncio de coches en el que se ve a una mujer diciendo: «Es el tamaño lo que cuenta». Es completamente tonto. Sobre la cuestión de saber si una mujer orgasma o no, no tiene nada que ver, aunque la publicidad lo sobreentienda. Esta leyenda no se debe a las mujeres, son los hombres quienes la sostienen, y únicamente para impresionar a los demás hombres.

—¿No es, por lo tanto, el mejor medio para impresionar a las mujeres?

—En absoluto. Mis investigaciones muestran que está lejos de ser la primera preocupación de las mujeres. No es el motivo por el cual experimentan o no un orgasmo durante el coito. Las mujeres participan en el coito y a veces encuentran placer en él, además de consecuencias indeseadas ocasionales. Las más jóvenes son particularmente sensibles a las infecciones vaginales, a cistitis (infecciones urinarias), que son muy dolorosas y suelen ser resultado de relaciones sexuales prolongadas o demasiado frecuentes. En inglés se la denomina «la enfermedad de la luna de miel»: cuando una mujer que no ha tenido relaciones sexuales desde hace tiempo las multiplica de golpe, puede suceder que se haga una abertura en la membrana que separa la vagina del tracto urinario, dejando así pasar material biológico de un lado a otro. Es muy corriente y muy doloroso. Se ha correlacionado la tasa de cáncer de cuello uterino con una incidencia elevada de coitos. Sea como fuere, en la pornografía e incluso en la publicidad ordinaria se ven sin cesar referencias a esta idea de que a las mujeres les gustan las pollas gordas... Eso demuestra el gran dominio de los hombres no informados en la publicidad y la ausencia de sentido crítico en ese universo.

—¿Entonces no es más que una fantasía? ¿Qué es lo que lleva a un hombre a pensar que cuanto más grueso o largo sea su sexo, más lo apreciará la mujer? ¿Es lógico pensar que cuanto más grueso sea el pene, mayor será el placer?

—¿Por qué piensan tan a menudo en eso los hombres? En la mayoría de los clichés de los que hemos hablado, también aparece el hecho de que, durante el coito, las mujeres gritan a veces «¡Más, más!», lo que podría querer decir toda clase de cosas, pero no necesariamente que el hombre debería penetrarla más profundamente; en general, suele significar que la mujer ha alcanzado un grado muy elevado de excitación. La mayoría no llega al orgasmo por simple estimulación vaginal (el mito del punto G se ha desmontado) [véanse págs. 35 y sigs.]. Necesitan durante algunos minutos una estimulación exterior del clítoris que no se detenga hasta que hayan obtenido el orgasmo. Se trata de uno de los elementos de una nueva y magnífica manera de crear relaciones sexuales entre hombres y mujeres. Este modo de hacer respetar la igualdad sexual que conduce a una satisfacción mayor para los dos miembros de la pareja forma parte de una nueva sociedad.

Así pues, cuando las mujeres gritan «¡Más, más!» cuando están muy excitadas por el coito, significa: «¡Me siento bien, sigamos, sigamos!». No quiere decir que van a tener un orgasmo si el hombre penetra cada vez más profundo, aunque sea una fantasía comprensible y agradable en ese momento preciso; todo el mundo puede experimentarla, pero no es la prueba de que las mujeres digan a los hombres: «¡Si la tuvieras más gorda, lograría más placer». En realidad, el placer de una mujer durante el coito suele provocarlo el empuje exterior del cuerpo del hombre sobre la vulva, cuando la toca rítmicamente al penetrarla: es la región exterior de la vulva la que es sensible al contacto.

UN CRIMEN CONTRA LA HUMANIDAD

Según los estereotipos, en la pornografía ordinaria las mujeres tienen por misión legitimar el deseo masculino; por lo tanto, el medio para desechar esa imagen —la mujer como sierva del placer masculino— es acabar con los fundamentos de esa visión de las cosas, en la cultura y en la tradición sexual. Por eso los he analizado y por eso deseo hablar de ellos.

La representación de la mujer en la pornografía es condenable, del mismo modo que quizá sea un crimen contra la humanidad la manera de mostrar a los hombres. En fecha reciente, se ha declarado crimen contra la humanidad el comportamiento de los ejércitos cuyos soldados violan a las mujeres «enemigas». En La Haya, el Tribunal Penal Internacional ha afirmado que, cuando un soldado viola a una mujer, comete un delito que debe ser castigado. (Durante los recientes conflictos en la ex Yugoslavia, son esencialmente mujeres musulmanas las que han sido violadas, tratando de este modo los soldados de destruir «la pureza de ese grupo étnico». En Ruanda, en 1998, hubo violaciones masivas de mujeres a manos de soldados.) Algunos afirman que la mayoría de estos soldados habían recibido publicaciones pornográficas «para que estén contentos y no lo hagan».

De la misma manera, la pornografía viola los derechos del hombre —de las mujeres y de los hombres—; cabe incluso decir que viola a secas a los hombres y a las mujeres porque los priva de su humanidad. No muestra, contra lo que se pretende, la verdad desnuda sobre lo que somos.

En 2002, un alto e influyente funcionario de Naciones Unidas, responsable de la salud de los niños, declaró que las agresiones contra las mujeres y sus hijos iban en aumento en el mundo entero. ¿Podría ser la consecuencia previsible de la diseminación creciente, vía Internet y revistas en boga, de este tipo de pornografía, que presenta a los hombres como violadores de jovencitas?

—*Volvamos al consumidor de pornografía. Al verla, un hombre joven inexperto podría preguntarse, en efecto: «¿Entonces, así son las mujeres?». Pero uno algo mayor o más maduro se inclinará a decir: «De acuerdo, yo sé bien que no es así en la realidad, pero me sirve para estimularme, para excitarme o relajarme». Sabe muy bien que las mujeres no son así en la vida real. En otras palabras, ¿no existen diferentes maneras de ver o utilizar la pornografía?*

—Es posible que algunos hombres lleguen al estado de sabiduría que describe. No hablemos de momento de la percepción de las mujeres. Algunos piensan que si eres un hombre inteligente, procedente de las clases medias o altas, dominarás tu cuerpo y serás capaz de canalizar tus comportamientos y tus deseos «bestiales» de modo conveniente y respetable. También piensan que es muy diferente en los países pobres, donde los hombres de las clases sociales inferiores, el «buen salvaje», no saben contenerse, dominados como están por su animalidad... En otras palabras, la pornografía integra tácitamente una ideología subyacente: no solo que las mujeres son las siervas del placer masculino, sino también que los hombres son animales estúpidos que «no pueden hacer nada». Esta ideología es un disparate. La naturaleza humana que proyecta la pornografía es una ilusión, no una realidad. Una visión autojustificadora —pero también autodestructora— de la trampa en la que se retiene a los hombres como rehenes por una cultura que define la sexualidad masculina como incompatible con el sistema social. La primera intenta convencer a los hombres de que sean fieles y buenos padres, mientras que la pornografía les incita a «dejar hablar a la bestia que llevan dentro».

Aunque algunos hombres tal vez sean capaces de distinguir la vida real de la que presenta la pornografía, está lejos de ser el caso de todos. Muchos no alcanzan jamás el estado de madurez del que habla: pensemos en Picasso o en Hemingway. Cuando pasaron la cincuentena o la sesentena, empezaron a pensar que ya no eran hombres, que habían perdido su potencia sexual, que ya no eran más que hombres destruidos. Han creído los clichés, con las consecuencias trágicas expresadas. La mayoría de la gente, si ve pornografía o simplemente vive al día en nuestra cultura pornográfica, cree cada vez más el mensaje subyacente que propaga.

—*En suma, ¿toda persona inteligente debería rechazar la pornografía?*

—La gente piensa que la única posición que se puede asumir es estar a favor o en contra de la pornografía. Propongo una postura más compleja, una crítica en profundidad de la ideología que se oculta detrás de la pornografía. Y, de este modo, es posible situarse de muchas maneras.

—*¿Pero dónde se oculta dicha ideología? ¿Cuál es?*

—Es omnipresente porque no emana de una fuente precisa, de un «texto», si quiere. Si ese fuera el caso, la gente la criticaría más. Los clichés de la pornografía funcionan porque descansan en una serie de creencias que fundamentan la ideología que nuestra sociedad ha edificado sobre la naturaleza del sexo, esa misma ideología que pretendo desalojar. Es una ideología implícita que da la impresión de probar (porque «no tiene que ser explicada») que todo el mundo está de acuerdo y que, en consecuencia, todo lo que «dice» la pornografía es verdadero. Una de las ideas maestras es que, en efecto, los hombres son hombres, no pueden hacer nada, hay que aceptarlo. Para que quede claro, cuando un hombre quiere algo, hay que plegarse a su voluntad, no hay que resistirse ni arriesgarse a despertar a la fiera que duerme... Una consecuencia de este razonamiento absurdo, basado en la pretendida animalidad del hombre (no de la mujer), es que el resultado último de la sexualidad es la violencia.

¿Por qué no propone la pornografía escenarios alternativos? Podría haberlos diferentes para mostrar cómo interactúan el deseo y las relaciones físicas.

—*¿Pero está segura de que eso interesa a la gente? ¿No busca solo el acto, los sexos en acción, en resumen, la carne?*

139

—¿Pretende insinuar que una representación diferente de la sexualidad sería menos carnal? Yo creo que usted también está condicionado...

—*Bueno, lo que quiere ver la gente es el acto, el coito, vaya.*

—No estoy segura. Quizá algunos hombres no quieran ver más que eso. La sexualidad de los hombres será más erótica y excitante cuando haya tomado una nueva dirección. Para la mayoría de las mujeres, la pornografía es fascinante un breve instante, pero la mayor parte del tiempo, aburrida de ver. Numerosos estudios lo han mostrado, y cuando las revistas orientadas al sexo han tratado de seducirlas, han fracasado de forma lamentable. ¿Qué se ve en una foto o en un vídeo que representa el acto sexual? Generalmente, a un hombre sobre una mujer, uno o ambos agitándose. Después, como hay que variar un poco, es la mujer la que se coloca encima, lo cual no resulta una manera muy original de cambiar de perspectiva. Si el coito fuera lo que condujera a la mayoría de las mujeres al orgasmo, tal vez también les gustaría a ellas ver escenas como esas... Pero como no es el caso, probablemente lo encuentran más aburrido que los hombres. Además, la constante sumisión de las mujeres que aparecen en esos escenarios hace que pierdan todo entusiasmo.

EL EROTISMO SUTIL DE LAS REVISTAS FEMENINAS

—*Se parte de la idea de que las mujeres son románticas y no les gusta la pornografía. ¿Por qué no inventan ellas otra cosa?*

—Creo que las revistas de moda femeninas se han convertido en el vehículo del mundo erótico de las mujeres. ¿Las ha hojeado recientemente? Cada vez se ven más fotos sofisticadas de mujeres vestidas con transparencias —o sin vestir—, pero altivas, heroicas en cierta forma. Las ventas de estas revistas van en aumento constante.

La pornografía chapotea en los viejos clichés, mostrando a menudo a las mujeres bajo el control de los hombres (o haciendo prueba de un deseo exagerado de sus penes), y las ventas entre ellas apenas aumentan. Su mensaje es totalmente diferente del transmitido por las revistas femeninas. Además de los clichés referentes a los hombres de los que ya he hablado (parece que soy la única en preocuparme de los peligros que hace correr la pornografía al cerebro masculino), hay sin duda muchos sobre las mujeres, clichés que, con otros, analizo. Por ejemplo, que la mujer está ahí para ser humillada; que el sexo finaliza con la violencia dirigida contra ella debido a la naturaleza animal del hombre; que, en el fondo, a las mujeres les gusta esta violencia. Se muestran sin cesar hombres ejerciendo violencia contra mujeres.

La imagen de las mujeres (y a veces de los hombres, solos o con mujeres) que transmiten las revistas de moda es muy diferente. Sin duda, en el erotismo de la moda hay mensajes subliminales que denuncian las feministas, y yo también. Pero eso es otra historia. En la actualidad, las revistas de moda son mucho mejores, dan al erotismo nuevas orientaciones y una imagen positiva de la mujer, aunque privilegien la imagen de la mujer joven occidental.

LAS JÓVENES FRENTE A LA VIOLENCIA DE LA PORNOGRAFÍA

—*En su opinión, ¿qué experimentan las mujeres, y en particular las jóvenes, cuando ven pornografía?*

—Mis investigaciones sobre este tema se han publicado en el *Informe Hite sobre la familia*. Sin duda, en primer lugar está la curiosidad natural que se puede esperar en las jóvenes. Absorben de inmediato los mensajes subliminales y se ven frente a la alternativa siguiente: aceptar los clichés corrientes

141

sobre el tema «cómo ser una mujer *sexy*», o rechazar todas las ideas sobre la sexualidad. El mensaje que reciben es que lo que se les muestra es la realidad del «sexo» y que, si quieren ser *sexy* y modernas, deben aceptarlo. Como si su única opción fuera estar en el ajo o quedarse al margen: vírgenes, puras o «intelectuales», mi opción de juventud. Existe hoy una fuerte presión sobre las mujeres, en particular sobre las más jóvenes, para que sean modernas y actuales, y proclamen: «¡No tengo complejos, no tengo miedo al sexo, el porno es guay!». Lo que me gustaría inventar aquí es una elección más amplia, otras opciones más que esta alternativa de una cosa u otra.

—*¿No podrían decir: «Esto es lo que debería ser, esto es lo que debería hacer»?*

—Sí. Creo que las mujeres se enfrentan al sentimiento de que su opción es ser modernas y, por lo tanto, practicar lo que se ve hacer a las mujeres en la pornografía, o pasar por chapadas a la antigua y pudorosas. El movimiento de regreso a los valores tradicionales está repleto de mujeres que asumen su negativa a esta elección: «Soy chapada a la antigua y pudorosa, muy bien. Burlaos de mí si queréis». Es una opción comprensible, pero no creo que sea la alternativa. Lamento que se les presente así a las mujeres.

—*¿Cómo influye la pornografía a los hombres jóvenes en su elaboración de la imagen de la mujer?*

—En la sociedad, siempre se hace la distinción entre las «mujeres para casarse» y las otras. Los hombres creen ingenuamente que ellos no piensan así. Les parece que está muy bien explayarse sexualmente como se ve en la pornografía. Al mismo tiempo, es evidente que no querrían casarse con una estrella del porno. Muchísimos hombres tienen tendencia a juzgar de inmediato a la mujer con la que hacen el amor como demasiado *sexy* para ser respetable.

Por ese motivo, las mujeres se encuentran bastante incómodas: por un lado, tal vez les gustaría hacer algunas cosas que ven en las películas o imágenes pornográficas; por otro, saben que, si lo hacen, tal vez por gustar a un hombre, se parecerán a las mujeres de las películas y serán excluidas, en el ánimo de los hombres, de las que pueden aspirar a una relación más seria. Así pues, la pornografía refuerza esta doble escala de valores, haciendo creer que hay dos tipos de mujer. Dudo que se vea con frecuencia en la producción pornográfica a una madre haciendo el amor. El hecho de que estas dos imágenes de la mujer jamás se yuxtapongan resulta revelador de esta doble postura: existen dos tipos de mujer, uno es un cuerpo y el otro... una santa, una madre. Entre ambos, no hay nadie que combine los dos extremos.

—*Supongamos que las mujeres se lanzan a la producción de pornografía. ¿Sería diferente de la que conocemos?*

—A las mujeres que tenían planteamientos realmente diferentes de la sociedad y que lo han intentado les ha costado encontrar fondos. Algunas han conseguido el financiamiento necesario, pero no debido a su visión del mundo: algunos han pensado que si las mujeres se ponían a hacer pornografía, resultaría novedoso y actual... Pero el resultado no ha sido muy diferente porque los criterios estaban definidos por los que decidían el financiamiento. Por eso casi siempre tenemos las mismas viejas imágenes, un poco horteras. Pero, como ya he expresado, se puede discernir un cambio en la maqueta de las revistas de moda, donde cada vez se encuentran más mujeres fotógrafas, estilistas, redactoras jefe, directoras artísticas...

—¿*Por qué tenemos tanta necesidad de pornografía?*

—¿La tenemos realmente? No lo creo. Sin duda, las imágenes de cuerpos desnudos o de personas nadando en el mar pueden ser bonitas; lo mismo ocurre con las imágenes eróticas. Pero, en su base, el adjetivo «pornográfico» designa imágenes que muestran la vieja concepción sexista del sexo, a menudo con esas imágenes de hombres maltratando a mujeres a las que les gusta eso y, por supuesto, ninguna ilustración de hombres o mujeres practicando manualmente una estimulación del clítoris a otra mujer. Lo mejor del futuro de nuestra sociedad es la tendencia hacia el cambio profundo de estas viejas ideas. Como se ha señalado, las revistas de moda son, en cierto modo, cada vez más eróticas y nunca se habían vendido tan bien a las mujeres, mientras que estas compran muy poca pornografía. Aunque las revistas de moda se dedican a ideas de belleza que pueden ser peligrosas, hasta el punto de incitar a las chicas jóvenes a infraalimentarse hasta convertirse en anoréxicas en su búsqueda de la talla de la modelo, al mismo tiempo ilustran la sexualidad femenina de forma mucho más positiva que los viejos escenarios pornográficos. Quizá nos guste ver imágenes de personas desnudas porque no tenemos la posibilidad de ver lo que hacen los demás. No tenemos medios de información verdaderos.

Al mismo tiempo, las imágenes pornográficas de sexo hieren a los individuos que las ven. Además, numerosas personas se sienten culpables de haber interiorizado sentimientos y fantasías de las que se avergüenzan. Sentimientos y fantasías que son para ellos —y para la mayoría de nosotros— signos eróticos fuertes porque los hemos visto de manera constante. La gente se siente culpable, como si estuviera enferma psicológicamente por abrigar tales ideas. He recibido numerosas cartas de hombres que decían sentirse exasperados al darse cuenta de que, a pesar de su voluntad de ser políticamente correctos en el plano sexual, lo que en realidad les excitaba eran las «viejas mañas», los clichés, la mujer rebajada. En cuanto a las mujeres, se sienten culpables de haber interiorizado fantasías de brutalidad o violación.

—*Bueno, pero entonces, ¿cuál es la solución?*

—En nuestros días, debemos vivir en varios planos al mismo tiempo. Lo ilustraré estableciendo una comparación con el racismo. Todos hemos crecido en una sociedad racista, convencidos de que era mejor ser blanco que negro (o magrebí o más o menos oscuro...). Sin embargo, la mayoría de nosotros estamos seguros de que esta manera de pensar no es justa, lo cual no nos impide comportarnos al contrario de estas buenas intenciones. ¿Qué hacemos entonces? Nos esforzamos por controlar o modificar nuestros comportamientos para actuar de forma diferente. Pero incluso cuando actuamos como se debe, tal vez tengamos reservas mentales, pues, después de todo, no vivimos en el planeta Marte. Eso crea una dicotomía en lo que pensamos; ¿nos convierte en hipócritas?

Lo mismo ocurre con la sexualidad. Podemos intentar superar el dilema, afirmando: «Deberíamos hacer esto, pero en realidad lo que yo siento es eso». De esta manera, iremos progresando gradualmente y, como sociedad, iremos cambiando poco a poco nuestra perspectiva, saliendo de un sistema de pensamiento único sobre el sexo.

Mucha gente renuncia al primer signo de resistencia del ánimo. Se dice: «Admito que, racionalmente, deberíamos haber llegado al punto A; pero en los hechos sucede que es el punto B el que me excita». Entonces decide que debe de ser verdad que todo depende de la biología y dice a los demás: «Esto es lo que creo, soy tradicionalista». Lo cual muestra de qué manera alimenta la pornografía la reacción conservadora contra el cambio de estatus de la mujer en la sociedad, puesto que, en lo fundamental, todos estos cambios están anclados en la mitología sexual de la cultura.

5
LA FAMILIA HACE SU REVOLUCIÓN

—*¿Cómo han evolucionado las cosas con respecto a la familia según las investigaciones que ha efectuado para el «Informe Hite sobre la familia»?*

—Estamos realizando una verdadera revolución social, aplicando los ideales de democracia y justicia en nuestra vida privada. Se viene repitiendo que la familia está en crisis, que ya no funciona y que es necesario salir en su ayuda para «preservar los valores familiares». ¿Pero qué quiere decir que «la familia está en crisis»? Si no funciona, tal vez sea porque su estructura tiene defectos. ¿Por qué habría que admitir a priori que los individuos son falibles, pero que la estructura familiar es justa y buena?

La prensa nos machaca regularmente con grandes titulares que afirman que «el número de divorcios se dispara», o que «numerosos niños son víctimas de abusos», o incluso que «la violencia doméstica hacia las mujeres ha alcanzado un nivel récord». Muchos llegan a la conclusión de que estas estadísticas reflejan una crisis no solo de la familia, sino de toda la sociedad, incluso de la civilización. Y que bastaría con recuperarla para resolver todos los problemas y volver a ser una sociedad pacífica, próspera y perfectamente armoniosa.

—*¿Pero no se necesitan «verdaderas» familias?*

—Sí, pero ¿qué es una familia verdadera? Durante los años cincuenta, la pretendida edad de oro de la familia nuclear, no había estadísticas sobre violencia doméstica. La sociedad prefiere barrer los problemas «relacionales» —es decir, de las mujeres y de las madres— bajo la alfombra, o colocarlos en el diván de los psiquiatras. Si hoy la gente abandona la familia tradicional, como parecen mostrar las estadísticas —por el divorcio, cambios en la composición familiar, el estilo de vida de quienes la componen—, ¿quiénes somos nosotros para decretar que han tomado una mala decisión?

En la actualidad, la gente se preocupa por la calidad de su matrimonio o de su relación personal. Con toda la razón, desean vivir de una manera que les hace felices y ser reconocidos por la sociedad, pero, al mismo tiempo, entienden que su relación refleja cualidades de las que podrían estar orgullosos, como la honradez, la igualdad y el respeto mutuo. Pero son muchos los que se debaten entre lo que deberían hacer y lo que consideran justo, entre la conformidad con la familia considerada normal y la elaboración de relaciones de un nuevo tipo.

DEMOCRATIZAR LA FAMILIA

—*¿Democracia en la familia? ¿Cómo la entiende?*

—Son las ideas de democracia y justicia las que crean este conflicto interno en la gente, ideas ensalzadas durante los doscientos años transcurridos en el mundo político y que ahora irrumpen en nuestra manera de vivir.

Lo que pasa es que por fin la democracia recobra el antiguo sistema jerárquico marcado por el dominio del padre: la familia se democratiza. Todos, poco o mucho, participamos en este proceso; nadie o casi nadie desea volver a la época en la que las mujeres no tenían (al menos en teoría) derechos iguales en el gobierno de la casa, en la que no existían leyes contra la violencia doméstica, en la que hombres y mujeres no tenían derecho a divorciarse si ya no podían vivir juntos... Todo el progreso realizado sobre la antigua familia tradicional.

Sin embargo, es cierto que una corriente favorable al regreso a los valores familiares tradicionales se esfuerza por detener esta evolución deseable a fuerza de discursos reaccionarios. Este movimiento intenta también devolver legitimidad al antiguo estatus de la mujer, mucho más dedicada a la devoción de los «valores familiares», denigrando por completo lo que han conquistado, así como el progreso logrado en el interior de la familia, del que también se benefician sin duda los hombres y los niños.

¿DESMORONAMIENTO DE LA FAMILIA, DESMORONAMIENTO DE LA SOCIEDAD?

Creo que aunque las estadísticas nos muestran un aumento de la violencia hacia las mujeres y los niños, por ejemplo, no reflejan el desmoronamiento moral de la familia o de la sociedad. Es la sociedad la que se ha vuelto más moral, la que se preocupa más por los problemas que antes le interesaban menos —o que no quería ver— y que impedían a muchos vivir el sueño de intimidad, calor y felicidad prometido por el concepto familiar.

—*Cuando habla de la familia tradicional, ¿qué entiende exactamente?*

—Este concepto evoca los anuncios de los años cincuenta, en los que se veía al papá sonriente, la mamá que se quedaba en casa para lavar y planchar, rodeada de sus 2,2 hijos, limpios y obedientes. También podemos pensar en las imágenes más antiguas, el arquetipo de la Sagrada Familia cristiana, la que se ve en Navidad con el Nacimiento. Mediante el filtro de esta representación, con sus iconos, Jesús, María y José, se elabora nuestra percepción de la familia. Esa familia es un arquetipo mitológico, basado en una jerarquía y un objetivo —la procreación—, y un *pater familias* todopoderoso.

—*Pero hoy la gente no piensa así...*

—Hay que decir que los iconos de la Sagrada Familia están por todas partes, nos miran desde lo alto de las grandes obras maestras del arte occidental. En los colores y las imágenes suntuosas de la gran pintura, en la arquitectura y la música, la historia de la Sagrada Familia se nos repite una y otra vez. Artistas como Tiziano, Rafael y Miguel Ángel fueron pagados por la Iglesia para crear obras maestras de temas bíblicos, al igual que Bach o Haendel en el campo musical. Durante siglos, la Iglesia ha sido el principal proveedor de fondos para las artes.

De acuerdo, la familia moderna ya no es una familia religiosa, la mayoría de la gente no es católica y multitud de familias no representan ya el antiguo modelo nuclear. Sin embargo, la imagen de la Sagrada Familia subsiste en nuestra mente y no dejamos de compararnos con los tres iconos del arquetipo familiar, como si ese fuera, ahora y siempre, el único modelo bueno y todas las demás familias estuvieran en el error, carecieran de razón, fueran trágicas.

UN MODELO MÁS REPRESIVO DE LO QUE PARECE

—*Puesto que no es democrático, ¿este modelo es autoritario?*

—A pesar de su bondad intrínseca (en particular por su promesa de amor verdadero), este modelo familiar era en esencia represivo, destilaba esquemas psicológicos autoritarios y la afirmación de la legitimidad inmutable del poder masculino. En esta familia muy jerarquizada, el amor y el poder estaban inextricablemente unidos, lo cual tenía efectos negativos no solo sobre los diferentes miembros de la familia, sino también sobre el funcionamiento de la sociedad en su conjunto. ¿Cómo podría funcionar la democracia en el plano político si la vida privada se organiza sobre un modelo autoritario?

LA FAMILIA CONTRA EL MAL...

—*¿La familia es siempre un certificado de buenas costumbres?*

—Algunos se sirven de la palabra «familia» o invocan la suya como un talismán capaz de rechazar el mal.

La palabra mágica, soltada en la conversación, permite a quien habla pertenecer al círculo privilegiado de los que viven de una forma correcta y que no se podría criticar. En los programas de televisión, por ejemplo, los invitados harán alusión a su familia como quien no quiere la cosa: «Como me dijo ayer mi mujer...»; «El otro día fue el cumpleaños de nuestra hija, todos los niños estaban reunidos a nuestro alrededor...». Se ha convertido en una táctica para los que perciben que les llega un ataque o una crítica del entrevistador. Es como si el hecho de tener una familia tradicional legitimara en cierto modo tu opinión, cualquiera que sea, y lo que eres. ¡Tienes una familia, formas parte de los Justos!

La mitad de la población no vive en una familia tradicional

—*Cincuenta por cien de solteros, dicen las estadísticas. ¿En qué se convierte la familia con eso?*

—¿Sabe cuál es el porcentaje de europeos que viven en una familia tradicional, es decir, con un padre que trabaja y una madre que se queda en casa con sus 2,2 hijos? ¡El 7 por 100! Pero estas estadísticas no describen el declive del espíritu de familia ni el desmoronamiento de la civilización. Necesitamos una visión histórica más amplia de la que se adopta. Debemos contemplar la sociedad y su evolución durante los últimos cuarenta años: lo que se ha producido es nada menos que un cambio de cultura, tal vez uno de los hitos sociológicos más importantes de Occidente, la creación de una nueva base social que engendrará una estructura política y democrática evolucionada y mejor.

—*¿Pero es realmente bueno que haya menos personas casadas?*

—No he dicho eso. He afirmado que el matrimonio tradicional era jerárquico, hacía pasar a la mujer a segundo plano y, en el pasado, le hacía jurar obediencia a su marido, que salía a trabajar para ganar dinero. Eso ha creado problemas en la mayoría de las familias, comprendidos los niños. La nueva diversidad procede de un pluralismo positivo y de una transformación fundamental en la organización de la sociedad. Lo cual nos invita a todos a realizar una seria reflexión, pero con amplitud de mente: ¿Qué es el amor, qué es la familia para nosotros? ¿Podemos admitir que las numerosas personas que abandonan la familia nuclear tienen buenas razones para hacerlo? Puesto que la procreación no es la prioridad más urgente tal como lo era cuando las sociedades eran más pequeñas, antes del advenimiento de la industrialización y del mundo moderno, la revuelta contra la familia reproductiva no es sorprendente. Incluso tal vez fuera inevitable desde el punto de vista histórico.

Ello no quiere decir que la gente no desee construir relaciones de amor y de tipo familiar; significa, simplemente, que no quiere verse limitada a construirlas en una sujeción rígida, jerarquizada, heterosexual y orientada a la procreación. La diversidad de las formas familiares puede aportar a la sociedad mayor bienestar y enriquecimiento. Las familias de un género nuevo tal vez constituirán la base de una creatividad renovada también en la vida política.

UNA FAMILIA CON GEOMETRÍA VARIABLE

—*Hay muchas familias monoparentales en las que el «cabeza de familia» es una mujer. ¿Qué problemas plantea? ¿Están los niños en desventaja por no tener padre?*

—Cada familia es una familia «normal», aunque no haya padre, dos hijos o ninguno. Una familia puede estar constituida por cualquier combinación de personas, heterosexuales u homosexuales, que comparten su existencia de un modo íntimo, lo que no quiere decir necesariamente sexual. Y los niños pueden vivir tan felices en una familia de adopción como con sus padres biológicos. Puede existir una familia sin hijos. Es cierto que las mujeres se ven sometidas a intensas presiones para que tengan hijos, pero en ningún caso deberían sentirse disminuidas si optan por no hacerlo. Donde existe un amor duradero, hay una familia.

Son los individuos los que crean las instituciones, no al contrario. El hecho de que los individuos transformen la familia es señal de una sociedad saludable. La democracia y la educación han dado a la sociedad un nuevo vigor, y cada vez hay más gente que se da cuenta de que tiene derecho a pensar por sí misma.

—*¿Por qué hay hoy tantas familias monoparentales?*

—En todo Occidente existe un debate apasionado en torno al derecho que tienen las mujeres a vivir solas con un hijo. Se pretende que, al comportarse de este modo, perjudican a la vez a los niños y a la sociedad, olvidando que los hombres actúan peor al abandonar a la mujer y a los hijos, mientras que en general las mujeres solo abandonan al hombre. Las mujeres asumen la doble tarea de ganarse la vida y ocuparse de los hijos, aportando así una contribución preciosa a la sociedad.

En este punto, no está de más situar la controversia sobre los padres solos en una perspectiva histórica. En el Reino Unido, por ejemplo, el matrimonio fue un asunto privado hasta la ley de 1793. Las tasas de cohabitación y de uniones «ilegítimas» aumentaron hasta en torno a 1900, cuando se confundieron maternidad y matrimonio. A comienzos del siglo XX se constató un aumento del matrimonio legal, que culminó en los años cincuenta. Según Susan McRae, «tal vez sea la familia de los años cincuenta, con su elevada fertilidad (con la cual se comparan a menudo los padres solos y las parejas no casadas), la que esté en falso en la historia».

—*En suma, la familia tradicional es una especie de monstruosidad...*

—Ahí exagera... Pero incluso hoy día la prensa popular da por supuesto que la familia con dos progenitores es la mejor para los hijos —sometiendo con ello a una gran presión a las madres divorciadas—, aunque nada prueba esa afirmación. Los datos de que se dispone solo muestran que el hecho de vivir en una familia armoniosa es benéfico para los niños, se trate de una familia de uno o dos progenitores. Para los niños, es preferible no crecer en una atmósfera envenenada por las desigualdades ligadas al sexo y por los conflictos que generan.

En mis investigaciones sobre los hombres y los niños, me he llevado la sorpresa de descubrir que los que habían sido criados por su madre sola mostraban una clara tendencia a mantener buenas relaciones con las mujeres durante su vida adulta. El 80 por 100 de los hombres provenientes de este tipo de familias habían establecido lazos fuertes y duraderos con una mujer, en el matrimonio o en una relación a largo plazo, frente al 40 por 100 de los criados en familias con dos progenitores. No hay que deducir que esa familia no pueda reformarse para ofrecer un entorno pacífico a los niños y a los adultos. Forma parte de la revolución en curso de la familia.

De todas formas, la familia dirigida por una madre sola goza de una larga y bonita tradición en la relación precoz entre la madre y su hijo pequeño. Y como ha subrayado astutamente una madre, puesto que la mayoría de los hombres dejan a la madre el cuidado de criar a los hijos, todas las madres son madres solteras. Estas mujeres pueden estar orgullosas de la excelente labor que realizan al criar a sus hijos, pese a las frecuentes dificultades financieras.

—*¿Es cierto que la mayoría de los padres solos no participan mucho en el cuidado de los hijos, sino que contratan niñeras o piden a su madre, sus hermanas o su compañera que se ocupen de ellos?*

—Las familias monoparentales están en su mayoría dirigidas por la madre, pero también hay un número creciente de familias con un padre solo. Los hombres pueden cambiar el estilo de las familias participando más en las tareas domésticas, estando más abiertos emocionalmente, desarrollando relaciones más estrechas con los niños. Lo más importante que podría hacer la sociedad es combatir el aislamiento del hombre, esa separación, esa «fría distancia necesaria para el hombre que quiere ser un hombre»...

¿LA SAGRADA FAMILIA O LA NUEVA FAMILIA DEMOCRATIZADA?

Ahora que las familias se transforman, la gente pone en tela de juicio cosas que jamás lo habían sido durante siglos. Y vemos cada vez más a hombres y mujeres que se preguntan qué es en realidad el amor, que intentan inventar familias que no encajan en el molde deseado por el sistema.

—*¿Por qué permanecen esos iconos aferrados en nuestros corazones?*

—Estamos tan habituados a esos símbolos, que continuamos creyendo que el sistema que encarnan es el bueno, que es justo y equitativo, por mucho que las estadísticas nos hablen del divorcio, la violencia doméstica y, sobre todo, sabiendo que el 50 por 100 de la población occidental vive en soltería. Vivan o no en una familia del tipo tradicional-jerarquizado, la mayoría de las personas sienten admiración y nostalgia por sus símbolos. Después de todo, la Sagrada Familia es un símbolo religioso, así que ¿cómo vamos a criticarla? Aceptamos sin reflexionar ese modelo como si fuera la única forma «natural» posible de familia, y la idea de que, si existen problemas, es culpa de las personas, no de la institución. Ni siquiera se nos ocurre imaginarnos que nuestro bonito sistema familiar, objeto de tantas magníficas obras maestras y símbolos, podría no ser ni tan bueno ni tan justo, en resumidas cuentas. ¿Cuál es la realidad?, nos preguntamos. ¿Los iconos o la violencia en el matrimonio que aparece en los periódicos? ¿Y cuál debería ser la realidad? ¿No tendría que ser esa «familia armoniosa» que evocan los iconos?

6
HORMONAS PARA TODO EL MUNDO

—¿*Cuál es la importancia de los cambios hormonales que sobrevienen durante la menopausia?*

—Las palabras «hormonas femeninas» suelen aparecer con una connotación científica, pero la mayoría de las veces no se utilizan científicamente; se emplean para otorgar credibilidad a una opinión sobre las mujeres que se remonta a la Edad Media. Las «hormonas femeninas» se suelen considerar las tristes responsables de una supuesta «mala conducta» de las mujeres, que comprende el síndrome premenstrual, la menopausia o el hecho de comportarse «como perras porque necesitan sexo».

—¿*Existe vinculación entre hormonas y psicología?*

—Como he observado cuando hablamos de la pubertad, aunque está claro que ciertos cambios físicos son consecuencia de cambios hormonales, nada prueba que la psicología o el comportamiento dependan de cambios hormonales o corporales. Sin embargo, se aprovecha esta fraseología pseudocientífica para justificar prejuicios.

¿Cuál es exactamente el sentido de la palabra «menopausia»? ¿Significa que las «menstruaciones» hacen una «pausa»?

En primer lugar, ¿qué es lo que provoca la ovulación (un milagro de la naturaleza) y los sangrados menstruales? Cuando el óvulo no es fertilizado, el útero evacua el tejido ya sin uso que el cuerpo había preparado para acogerlo. Cuando una mujer llega a la edad en la que el ciclo se interrumpe, su cuerpo sufre otros diversos cambios, que se han exagerado y pervertido. De este modo, la misma palabra se ha utilizado para atacar a las mujeres y mantenerlas apartadas de los puestos públicos con el pretexto de que ya no estaban en su «primera juventud», en lugar de respetarlas y colocarlas en la categoría de «mujeres adultas», que se distinguen por su sabiduría y belleza madura. Mientras que numerosas mujeres se alegran de que su ciclo y sus sangrados menstruales se detengan, y perciben que sus niveles de energía se estabilizan y que entran en un periodo largo y constante de productividad, por todas partes se ven las imágenes de los medios de comunicación que las muestran como «brujas» (¿qué es una bruja?), con enormes verrugas en un rostro furioso, coronado por cabellos desgreñados. Por suerte, un número creciente de políticas maduras han comenzado a ocupar la delantera del escenario (pensemos en Madeleine Albright, Margaret Thatcher y otras), dando otra idea de lo que es la mujer de edad madura, es decir, la imagen de una mujer activa, atractiva, fuerte, dinámica y sin miedo.

¿He comenzado a responder su pregunta?

—*Sí y no. Bueno, un poco... ¿Pero qué significa la menopausia para una mujer?*

—La vida de las mujeres está marcada por un determinado número de etapas, algunas ligadas a su capacidad reproductora, pero la sociedad ha exagerado este aspecto. Como en nuestra tradición se confunde con la sexualidad, los grandes hitos que marcan la vida de una mujer suelen pervertirse por el uso de una terminología pseudomédica, en la que el término «hormona» aparece con frecuencia. No quiero decir que la palabra nunca sea apropiada, o que los investigadores no deberían publicar el resultado de sus trabajos, sino solo que no habría que utilizar términos científicos de manera frívola.

Pensemos en todos los ciclos de la mujer que se «medicalizan» de una manera peyorativa o son susceptibles de inspirar miedo: menstruación, síndrome premenstrual, menopausia nos vienen a la mente de inmediato.

—*¿Puede poner ejemplos?*

—Tomemos el síndrome premenstrual, que se ha convertido en un concepto de moda durante los últimos quince años. Se basa en la creencia de que los cambios de humor y vitalidad sobrevienen «a causa de las hormonas» y afectan a algunas mujeres antes del inicio de los sangrados menstruales. Otro ejemplo: los dolores ligados a la regla, o las mismas reglas, que durante mucho tiempo han servido para que las mujeres fueran consideradas intocables por los hombres durante esos periodos, puesto que estaban «sucias», también eran culpa de las hormonas. El cambio hormonal más temible que experimenta la mujer se ha denominado buenamente «menopausia». Es un fenómeno que no se ha estudiado en profundidad, pero que es objeto de pullas incesantes y crueles sobre el tema: «¿Una mujer menopáusica debería seguir queriendo hacer el amor, con sus sofocos y todo eso?». De hecho, todos los cambios hormonales femeninos se discuten en una atmósfera de temor, de confusión, de rechazo.

—*¿Pero la menopausia no es el cambio hormonal más importante, o el más espectacular?*

—Parece que a usted también le cuesta desembarazarse de ciertos prejuicios... Se podría replicar que los cambios hormonales que afectan a las niñas al comienzo de la fertilidad, en la pubertad, son igual de fuertes. En la pubertad, el cuerpo de las niñas cambia enormemente: aparecen los ciclos menstruales con los sangrados del útero, el vello recubre sus partes genitales y sus pechos se desarrollan a medida que su cuerpo se prepara para su función reproductora. ¿Por qué dichos cambios no son objeto de clichés tan terribles? Por ejemplo, una de las ideas negativas sobre la menopausia es que la mujer está «seca»; dicho de otro modo, que ya no está «mojada» y lista para la reproducción. ¿Y qué pasa con los cambios hormonales que sufren los niños en la pubertad? ¿No son también considerables? Después de todo, los niños observan cambios en su vellosidad y su voz, comienzan a eyacular, etc. Sin embargo, se consideran de forma positiva. No son «problemas» que convierten a los chicos en «amargados y frustrados» o «incontrolables».

—*¿Cómo lo explica? ¿Por qué esos prejuicios?*

—Porque nuestra sociedad ensalza la sexualidad reproductora y, en consecuencia, valora a las mujeres cuando están en plena fertilidad. He ahí por qué, cuando una mujer llega al final de este periodo «bueno y útil» de su vida (en la medida en que habrá dado hijos al mundo y los habrá criado), aparece la palabra menopausia para acogerla, colgarle una etiqueta, dispuesta —si ella lo consiente— a socavar su autoestima y trastornar sus capacidades de definir de ahora en adelante su vida sexual.

Los hombres también experimentan con el tiempo una reducción del nivel hormonal: son bien conocidas todas esas historias sobre la bajada de la libido en la mitad de la vida. Cuando envejecen, algunos hombres pierden el cabello, ven que les salen pelos en otras partes del cuerpo y a veces observan que la voz se les pone más aguda, como si volvieran a ser chicos jóvenes. Pese a esta similitud de tono, a nadie se le ocurrirá la idea de insistir torpemente sobre ello y convertirlos en objeto de miedo o burla, como se hace con las mujeres menopáusicas.

SEXUALIDAD Y PLACER: CLICHÉS AMBIGUOS

—*¿Pero no es cierto que las mujeres pierden su libido?*

—Mis investigaciones no han mostrado tal cosa. Sin embargo, es cierto que las reacciones de las mujeres varían enormemente en función de su modo de vida. Algunas deciden adjudicar más importancia que nunca al sexo, otras están cansadas de las relaciones sexuales y a otras les atraen más su carrera, un deporte u otra cosa. Esta es la simple realidad.

Por desgracia, la mitología nos canta otra canción. En los eufemismos y las palabras vagas que se emplean para referirse a los cambios sufridos por las mujeres en el campo de la reproducción, se sobreentiende que estas cosas son muy secretas y vergonzosas para osar hablar de ellas. Sin duda, se trata de una reminiscencia idiota de prejuicios y supersticiones (a veces de origen religioso) que abundaban en una época en la que el cuerpo de las mujeres se consideraba literalmente demoníaco: mostraran o no interés por el sexo, eran percibidas como tentadoras sexuales que había que tener bajo control, puesto que en ellas estaba el diablo disfrazado... Además, durante siglos, la Iglesia católica ha debatido la existencia de alma en las mujeres...

Estas viejas ideas se han mantenido en parte adoptando una forma «moderna», la mayoría de las veces disfrazadas bajo términos pretendidamente científicos. Por ejemplo, la visión negativa de la mujer que ya no está en edad de tener hijos se oculta mediante el empleo de las palabras «menopausia» y «hormonas», con todo lo que conllevan. La prensa popular hace asociaciones de ideas muy divertidas, que llevan a creer que, aunque nada permita ligar comportamientos específicos con la existencia o la fluctuación de hormonas (las experiencias realizadas en este campo han dado resultados contradictorios), según afirman, son las hormonas masculinas las que hacen *sexy,* y un montón de hormonas provocan un gran furor sexual. Mientras que las hormonas «masculinas» se consideran positivas, responsables de la «personalidad masculina fuerte, dinámica y *sexy*»,* las hormonas «femeninas» se ven como problemáticas, solo buenas para crear una personalidad débil y pasiva.

—*¿Deberían temer la menopausia las mujeres? ¿Siguen siendo deseables después?*

—Se acostumbra a pensar que, cuando una mujer ha franqueado sus años fértiles, cesa de ser atractiva y deseable. La pregunta que todo el mundo se plantea es saber si, con la edad, la sexualidad y el placer disminuyen. También circulan muchos mitos desagradables acerca de los hombres: «A partir de una cierta edad, ya no pueden...». Lo que remite a la capacidad que todavía tienen de empalmarse, dicho de otro modo, de reproducirse y de «acostarse con una mujer». Acerca de las mujeres, los mitos son contradictorios. Unos afirman que están menos interesadas por el sexo o que encuentran menos placer, que su vagina se queda seca. Por el contrario, otros pretenden que las mujeres tienen mayor apetito sexual después de estos cambios hormonales y que orgasman con mayor facilidad.

—*En suma, impresiones más positivas...*

—¡Espere! Estas consideraciones sobre los apetitos sexuales y su expresión tras la menopausia son pervertidas por otros clichés que presentan a las mujeres de cierta edad como impúdicas y licenciosas (con apetitos insaciables), las describen como algo anormales y poco atractivas, en realidad haciéndolas a menudo grotescas o cómicas. Un ejemplo célebre es el cuento medieval sobre la comadre de Bath, de Chaucer, que describe a una mujer de edad madura que se comporta de manera obscena y expresa su sexualidad con brutalidad. La verdad es que las mujeres de edad madura tienen maneras diversas de experimentar su sexualidad, en función de su personalidad.

En nuestros días, subsiste esta connotación negativa. En lugar de revelar la belleza, la fuerza y la dignidad de las mujeres maduras, se adoptarán actitudes marcadas por lugares comunes para inhibir su desarrollo (semejante al «muro de cristal» que bloquea tan a menudo las carreras femeninas en las grandes sociedades). Me crispa ver que se ofrecen a actrices que siempre me han gustado papeles degradantes cuando alcanzan «una cierta edad». Pensemos en Elizabeth Taylor en *¿Quién teme a Virginia Woolf?* (lo que no desmerece en absoluto su excelente interpretación), pero también en Whoopi Goldberg en películas recientes, en Glenn Close en varias películas de los años setenta (incluida *Las amistades peligrosas*)... Sucede que estos papeles se consideran «audaces» o «de vanguardia», puesto que parecen retomar la idea de que las mujeres maduras son *sexy* y no están en absoluto marchitas. En realidad, en la mayoría de los casos, la mujer mayor (que a veces no tiene más que cuarenta y cinco años) es dirigida por el realizador de manera que encarne la sexualidad que se supone a la mujer madura, con su supuesta tosquedad y vulgaridad de gestos y lenguaje. Por ejemplo, ha perdido las ilusiones, con frecuencia es alcohólica y objeto de bromas pesadas sobre el tema: «¡Qué no haría la pobre por meter a un tío joven en su cama! ¡Qué ridícula es!».

Mis investigaciones demuestran que tales ideas, que se siguen lanzando a la cabeza de las mujeres, carecen de fundamento. No hacen más que perpetuar los prejuicios provenientes de la vieja ideología que querría que sexualidad no rimara más que con reproducción.

Las preguntas de las mujeres maduras

—*¿Siguen teniendo influencia sobre la vida de las mujeres estos clichés sobre la edad?*

—Sin duda. Después de la cuarentena, muchas mujeres se plantean todo tipo de preguntas sobre el futuro de su sexualidad.

—*¿Por qué?*

—Porque, en algún lugar de su cabeza, resuenan los viejos estereotipos: «Ya no eres tan joven, ya no eres tan bella... ¿Tienes ganas de hacer el amor? ¿Querrías dar el primer paso? ¿Pero no te has vuelto repulsiva o ridícula? ¿No tienes nada mejor que hacer? En fin, si te apetece, adelante; es la naturaleza humana». En tal ambiente de tortura mental, es muy difícil para cualquiera buscar y encontrar su propia personalidad, en el plano sexual o en cualquier otro. No les va mejor a los hombres, a quienes les cuesta definir lo que realmente sienten cuando son zarandeados por toda clase de mensajes violentamente negativos sobre el hombre que «no está a la altura».

Es extremadamente importante que las mujeres sepan hoy que tienen la total libertad de descubrir quiénes son a cualquier edad, de reivindicar sus elecciones y su identidad sexual, de crear modelos nuevos de feminidad. Condeno los estereotipos; hacen un daño enorme y no se basan en nada. Le corresponde a cada mujer descubrir su propia verdad. Al hacerlo, las mujeres crearán un nuevo espacio para ellas y las demás, incluidas sus hijas cuando crezcan y se conviertan a su vez en mujeres maduras.

LA MENOPAUSIA NO ES UNA PAUSA

—¿*Qué responder a la vocecita que susurra: «¿Por qué sigues pensando así, a tu edad? ¡Hay tantas otras cosas en la vida! El amor, la sexualidad, no hay más que eso...»?*

—Yo respondo que el amor y la sexualidad forman parte de la vida; que es probable que no seas completamente feliz si te falta una relación física íntima con alguien. Y tal vez tengas menos ganas de hacer otras cosas, te sentirás sola; y, además, ¿por qué negar la vida? Para la gran mayoría de las personas, los sentimientos, las emociones, la sexualidad y sus fluctuaciones forman una gran parte de la existencia. Estar cerca y ser cómplice de alguien, experimentar parte de su cuerpo y sus emociones, es una forma magnífica de hacer la vida interesante, aunque no sea la única.

La gente de todas las edades alberga los mismos sueños, las mismas esperanzas, los mismos temores, y sin embargo se niega a la de edad madura el derecho a la intimidad erótica con el pretexto de que sus hormonas han desaparecido, lo cual no sirve para ocultar el mensaje idiota que destila la sociedad: «Los viejos no son nada *sexy*». Por otra parte, son muchos los que piensan que las personas de edad deberían ser menos «sexo» y más «espíritu», capaces de ser felices y de gozar de la vida olvidando las cosas frívolas como el sexo. Esta ideología se combina con la idea de la separación del cuerpo y del espíritu, que presenta juicios de valor disociados sobre la mitad «animal» del individuo y la mitad «mental/espiritual». Esta división refuerza las viejas nociones de pureza e impureza. En Occidente y parte de Oriente Próximo, esta dualidad hace tiempo que forma parte de la tradición filosófica: el espíritu es grande, es lo esencial; el cuerpo no es más que un pobre vehículo que hay que alimentar para que el espíritu funcione. La idea base es que negar el cuerpo es hacer prueba de nobleza. Por eso los viejos, como los niños, son «puros», comparados con los demás, que son siempre «peligrosos» y deben controlarse.

En esta óptica, la sexualidad es trivial, las cuestiones espirituales son elevadas. ¿Por qué los sacerdotes serán más puros por no tener ninguna sexualidad? ¿Por qué María ha llegado a ser santa y pura habiendo dado a luz a Jesús sin esa «sucia» sexualidad? Sin duda, sería preferible que pensáramos de otro modo, que nos viéramos como un tejido complejo de cuerpo y espíritu, siendo los dos componentes igual de importantes.

HOMBRES Y MUJERES, EL CUERPO CAMBIA SIN CESAR

—¿*La sexualidad es diferente tras la menopausia, más intensa o continúa siendo igual?*

—Tanto para los hombres como para las mujeres, la sexualidad se vuelve más interesante y más urgente cuando se enamoran: el deseo y las emociones se inflaman, lo cual puede suceder, créame, a cualquier edad. Pese a todos los clichés sobre el deseo «animal» que desatarían ciertos objetos sexuales típicos (las rubias, los ojos azules...), en realidad la gente se derrite por alguien de manera más o menos imprevisible. Lo que es seguro es que, en ese momento, cualquiera que sea su edad, se interesa más por la sexualidad, sintiendo a la vez el deseo y la urgencia, lo que evidentemente la hace más intensa y agradable. Todo el mundo está de acuerdo: es bueno estar enamorado, porque entonces nos invaden los deseos. Yo sostengo que el amor es más importante para el deseo sexual que las hormonas, cualquiera que sea la edad que se tenga. (De hecho, ¿qué es el amor? He dedicado varios años a estudiar el tema. Los resultados se encuentran en mi libro *Mujeres y amor.*)

Para responder directamente a su pregunta, diría que el cuerpo de las mujeres cambia todo el tiempo, incluso después de la menopausia. Pero este cambio se ha considerado más como un alto que como una puerta abierta a algo interesante. De hecho, creo que es bueno que el cuerpo de las mujeres cambie; eso hace más interesante una relación a largo plazo. Es agradable que haya sorpresas en ambos cuerpos de una pareja: así se puede redescubrir sin cesar al otro y a uno mismo.

De todas formas, no se debería equiparar la sexualidad con la aparición de las reglas o el final del periodo reproductivo. Esta confusión refleja, una vez más, la definición estrictamente reproductora que nuestro orden social ha impuesto al campo erótico. En realidad, las niñas pueden orgasmar masturbándose mucho antes de la pubertad (antes del comienzo de las reglas), lo que demuestra que las mujeres tienen acceso a la sexualidad independientemente de su aptitud para reproducirse.

¿HORMONAS PARA TODO EL MUNDO?

Aunque los hombres experimentan tantos cambios hormonales como las mujeres, se les concede mucha menor atención. ¿No se consideraría maleducado hacer alusión constante a la calvicie de un hombre o al aumento de su pilosidad? Muy probablemente, como también lo es hablar sin parar del cuerpo de las mujeres, como si el lenguaje estuviera ahí para valorarlo y ordenarlo en categorías determinadas por estados físicos (bonito/no bonito, fértil/estéril, y así sucesivamente). Puesto que el lenguaje se presta a encontrar una palabra para describir el cambio físico que afecta al cuerpo femenino a una «cierta edad», ¿cuál es la que se aplicaría a los cambios del cuerpo del hombre? Se podría explicar esta ausencia de palabra específica para describir los cambios hormonales masculinos que sobrevienen a la edad madura por el hecho de que, al contrario que en el caso de las mujeres, a los hombres no se los define primordialmente por su cuerpo y sus funciones reproductoras.

—*¿Los tratamientos hormonales destinados a las mujeres son seguros o peligrosos?*

—La investigación está incompleta y los resultados son contradictorios; los efectos varían de una persona a otra, lo que podría querer decir que no sabemos gran cosa sobre cómo interactúan las hormonas sexuales con las restantes hormonas del cuerpo. Pero ese no es mi campo de investigación: yo trabajo en ciencias sociales. Para responder a esta pregunta, habría que referirse a los libros publicados por los especialistas. No está claro si dichos tratamientos son peligrosos o no para una persona determinada, y de qué manera. Vario(a)s colegas en los que tengo confianza hablan de manera convincente en ambos sentidos: según alguno(a)s, las terapias de aporte hormonal complementario propuestas a las mujeres son peligrosas; para otro(a)s, son muy útiles e inocuas.

Revistas respetables publican artículos sobre las hormonas, a veces con un guiño, como si todo el mundo supiera para qué sirven. En realidad, hay varios tipos de hormonas, no solo masculinas y femeninas, sino además otras como la insulina, la adrenalina y la hormona del crecimiento. Lo que ignoramos sobre ellas y sus interacciones sobrepasa con creces lo que sabemos. En general, el término hormona se utiliza a diestro y siniestro para dar un barniz pseudocientífico a afirmaciones discutibles.

LA MENOPAUSIA VISTA POR LOS HOMBRES

—¿*Cuál es el impacto de la menopausia en los hombres?*
¿Le tienen miedo?

—Sería comprensible que los hombres estuvieran llenos de prevenciones con la «información» miserable y negativa que reciben. Suelen llegarme cartas de hombres que plantean preguntas como la siguiente: «Mi mujer tiene cuarenta y cinco años, ¿qué va a pasar?». Desde un punto de vista práctico, algunos cambios fisiológicos pueden provocar sequedad vaginal, para la cual existen varias soluciones bien conocidas, en forma de vitaminas o cremas. Es cierto que un hombre podría pensar que una mujer que no está lubrificada no siente nada por él. La situación inversa es igualmente cierta: al ver al hombre en erección, la mujer pensará: «¡Estupendo, me quiere!». Y si no se empalma, se inclinará a pensar que no la quiere... Esta situación podría ser un obstáculo para sus relaciones, sobre todo si su concepción de la sexualidad se limita al coito. Una mujer puede estar muy excitada y comprobar al mismo tiempo que la entrada de su vagina no está tan húmeda como cuando era más joven. Por ello, muchas utilizan una crema antes de hacer el amor, cuando el acto incluye el coito.

—¿*Ha tenido testimonios de hombres que digan que no han notado cambios notables después de que su mujer o novia hayan pasado la menopausia?*

—Aparece en mis investigaciones que la mayoría de los hombres no mencionan cambios o diferencias notables. El hecho de que no señalen cambios es importante: después de todo, no tendrían ninguna razón para ocultar sus observaciones, puesto que no estamos cara a cara y rellenan cuestionarios anónimos. En mis investigaciones, el cuerpo de las mujeres maduras resultaba atrayente para los hombres, aunque se sentían incómodos de hablar de ello en público. No han informado de malas experiencias con la menopausia (salvo cuando, según dicen, su mujer había decidido no acostarse más con ellos). De hecho, es notable que prácticamente ninguno haya hecho alusión al envejecimiento de la mujer. Para la mayoría, la menopausia, o el hecho de que la mujer tenga más de cuarenta y cinco años, no desempeña ningún papel en la sexualidad. Los hombres de mayor edad (de sesenta años en adelante) parecen más preocupados por sus erecciones que por el estado del rostro, la vagina o el cuerpo de la mujer...

La menopausia como un nuevo comienzo

—*Para la mujer, ¿la menopausia es una especie de liberación?*

—Yo prefiero considerarla un nuevo comienzo, una nueva etapa de su vida. Recientemente, feministas como Germaine Greer han afirmado que los años de fertilidad son como una nube (una bruma hormonal) que recubre a la mujer. Está sometida entonces a sentimientos románticos (que llegan a veces hasta la obsesión emocional) y a deseos sexuales, que pueden perturbar su existencia (y trastornar su juicio, lo que la puede colocar en situaciones peligrosas). Estas afirmaciones perpetúan el punto de vista de que la sexualidad forma parte de las funciones corporales, y que muy bien podría desaparecer. En mi opinión, es una visión demasiado simplista, que se relaciona con la dualidad de cuerpo y espíritu de la que ya hemos hablado: «¿No es mejor, cuando no se tiene al cuerpo colgado del cuello, estar por encima de todo eso y vivirlo esencialmente en el espíritu?». Me considero feminista, pero no estoy de acuerdo con el punto de vista de Germaine Greer, aunque tal vez haya cambiado de opinión...

La sexualidad forma parte de la vida de las mujeres de todas las edades. Uno de sus derechos inalienables es decidir lo que quieren hacer: aprovecharla y experimentarla o dejarla de lado y dedicar su energía a otra cosa. Cada mujer es dueña de su cuerpo y tiene derecho a tomar sus propias decisiones.

7
LESBIANISMO Y HOMOSEXUALIDAD

—¿Por qué algunos prefieren el amor homosexual? ¿Por qué se enamoran de personas del mismo sexo?

—También nos podríamos preguntar: «¿Por qué algunos hombres y mujeres prefieren el amor heterosexual?». Su pregunta podría dar a entender que no comportarse de manera heterosexual es inusual, que el hecho de optar por amar a alguien del mismo sexo o de enamorarse de alguien del mismo sexo es una desviación con respecto a la norma.

Lo cual es correcto desde el punto de vista estadístico, pero para ser coherente con mi teoría debe destacarse que es la preocupación por la reproducción la que ha llevado a la institución del sexo a desarrollarse de ese modo, permitiendo a la «moralidad» decretar que todo lo que no sea la pareja reproductiva (convenientemente casada) es menos noble y legítimo.

Trataré de explicar mi teoría: el sexo, tal como lo conocemos, refleja una ideología y no es la consecuencia de un «instinto fundamental», sino más bien una institución creada por la sociedad y, por lo tanto, algo que podemos cambiar. Pero, antes de adelantar conclusiones, me gustaría subrayar que el lesbianismo y la homosexualidad no representan las únicas maneras de que la gente abandone o cambie la institución; hay muchos otros medios. En mi opinión, la homosexualidad masculina, en todos los casos, es más un estado mental que lleva a un hombre a preferir la compañía de sus semejantes a la de las mujeres, que un conjunto de comportamientos sexuales «homoeróticos» específicos.

Tradicionalmente, la sexualidad es una actividad que, por definición, se practica entre personas del sexo opuesto. En el curso de nuestras entrevistas hemos hablado casi en exclusiva hasta aquí de sexualidad heterosexual. Hay dos razones para ello: la primera es que la mayoría de la gente practica la heterosexualidad; la segunda, que intento sacar a la luz la ideología oculta tras la institución que llamamos sexualidad.

Me gustaría hacer comprender que nuestra concepción de la sexualidad está ligada a un sistema social particular, orientado hacia la actividad reproductora. Con una perspectiva más amplia, se podría lograr la coexistencia de una gran variedad de comportamientos y actividades sexuales, en los cuales cada uno podría expresarse y participar.

Fue en la década de 1870 cuando dos profesores alemanes utilizaron por primera vez el término «homosexual» para describir y clasificar cierta forma de sexualidad; no existía con anterioridad una formulación particular. La palabra «lesbiana» también es reciente (en relación con la historia) y hace referencia a la isla de Lesbos, donde vivió en la Grecia antigua la poetisa Safo, de la que se piensa que le gustaban las mujeres.

—*¿Cuál es el lugar de la homosexualidad en la sexualidad en general?*

—Según la ideología de nuestra sociedad, la sexualidad es un comportamiento natural que se inscribe en un proyecto reproductor y, en todas sus formas, conyugal o ardiente, la sexualidad debe culminar en el *acto* reproductor, que implica la «penetración», ya sea utilizando un preservativo o la píldora. Lo cual no supone de ninguna forma que sea anormal no compartir este tipo de sexualidad, ni que sea menos normal o perverso inventarse su propia representación de la sexualidad y hacer el amor con una persona del mismo sexo, sin posibilidad de reproducción.

En los años cincuenta, Alfred Kinsey explicó brillantemente que «homosexual» y «lesbiana» no debían utilizarse más que como adjetivos para describir actividades y no personas, sobre todo porque la gente tiene la posibilidad de modificar su orientación sexual en el transcurso de su existencia (y de cuando en cuando más de una vez).

LA NORMALIDAD REPRODUCTORA

La heterosexualidad se convirtió en la forma «clásica» de la sexualidad hace aproximadamente tres mil años. Las otras formas que se habían aceptado como iguales o superiores en el coito antes de esta época fueron calificadas como inmorales o no civilizadas y, más tarde, de bárbaras, salvajes o animales. En la antigüedad, el universo erótico se veía de manera completamente diferente, pese a los clichés gastados sobre «el oficio más viejo del mundo», como si las mujeres, por alguna fatalidad biológica, siempre hubieran estado destinadas a ofrecer servicios coitales a los hombres para satisfacer sus placeres «fundamentales». Esta es una visión antihistórica, insoportable, pero que perpetúa oportunamente la ideología sexual corriente.

—¿*Una ideología que perdura, pese a todas las revoluciones sexuales?*

—Sin duda. El orden social ha canalizado nuestro erotismo natural en una serie de ritos reproductores. La familia tradicional y la sexualidad heterosexual que se practica en ella pueden ser magníficas; pero ¿por qué deberían ser la única forma de relación posible? Los humanos han sido capaces de reproducirse en sociedades completamente diferentes. Los antiguos griegos, por ejemplo, que tenían una concepción muy distinta de la sexualidad y el erotismo, y un sistema de referencia ética y moral también diferente. Algunas civilizaciones de Polinesia, Brasil, África y América del Sur han existido sin que hubiera una definición única y «buena» de la sexualidad.

LA FAMILIA GAY

—¿*Cómo ve las familias gays?*

—Si me fío de mis investigaciones, las personas son tan capaces y están tan satisfechas como cualquiera de formar una familia con alguien de su mismo sexo. En los diferentes *Informes Hite,* hay bastantes cosas sobre este tema, así como sobre la sexualidad homosexual. Sin embargo, hoy muchos hombres y mujeres comprometidos en una relación de ese tipo hablan de su modo de vida como «alternativo». Este lenguaje podría querer decir que viven «de forma diferente» a la mayoría y que la alternativa no es «normal». Y aunque sepan que esta imagen es falsa, no dejan de pensar que su modo de vida no está reconocido de la misma manera que el de los heterosexuales.

—¿*Pero qué tiene de malo o de falso decir que se lleva un modo de vida alternativo?*

—Implica que hay un modo de vida normal, no en el sentido de «practicado por la mayoría», sino en el de «correcto, mejor». Lo que necesitamos es una cultura de la diversidad sexual, no un sistema en el que se diga: «Sí, está muy bien; vi-

176

vimos en una sociedad tolerante, ¿no?». No voy a unir mi voz a la de los supuestos liberales que van proclamando que la homosexualidad y el lesbianismo son «bonitas alternativas». Esta tolerancia implica que existe una sexualidad normal y que las demás formas son toleradas, puesto que somos gente abierta. Esta actitud es condescendiente.

—*Por un lado, los homosexuales quieren que la sociedad reconozca su «diferencia»; por otro, exigen ser considerados gente común y disponer del derecho a casarse, tener hijos, etc. ¿No hay una contradicción?*

—Desde el punto de vista histórico, durante los últimos quince años se ha producido una especie de giro a la derecha en lo referente a la actitud de los gays, tanto hacia el movimiento gay como en el interior de este. Después de Stonewall y el periodo contestatario del movimiento, se ha producido un cambio de atmósfera. Numerosos homosexuales han salido de la sombra para reivindicar el hecho de que forman una familia con su pareja, con hijos o sin ellos, y que, en consecuencia, contribuyen a la estabilidad de la sociedad defendiendo la moralidad tradicional de la pareja. Sin duda, es cierto que la familia gay es tan estable y productiva como la tradicional (50 por 100 de matrimonios después de siete años...), pero también se puede contemplar este movimiento como una reacción de defensa, una voluntad exagerada de ajustarse al statu quo de la moralidad tradicional.

Durante los años noventa se ha disparado la creencia en el determinismo biológico. A la pregunta: «¿Cuál es la causa de la homosexualidad?», la respuesta ahora es: «Todo está en los genes, nadie puede hacer nada, se nace así». Lo que fomenta la corriente profamilia: «No somos disidentes; somos genéticamente diferentes». Durante cierto tiempo, el movimiento homosexual —por ejemplo, el *queer movement* en Gran Bretaña— había criticado las definiciones institucionalizadas de la sexualidad. No obstante, a continuación, influido por la sociedad, que se había vuelto más conservadora y consideraba de nuevo la familia como su pilar, el movimiento gay se ha teñido de colores familiares. Se comprende el deseo natural de los gays de ser reconocidos y apreciados por una sociedad heterosexista, pero cometerán un error al pensar que pueden integrar plenamente la homosexualidad en la sociedad tal como está estructurada en la actualidad, y sería mejor que continuaran articulando una «política de la diferencia» y una «visión alternativa» de las relaciones sexuales y la vida privada. La sociedad necesita diversidad en materia de elección sexual y modos de vida. Los movimientos gays deberían tomar conciencia de los efectos perversos de una recuperación política.

«SALIR DEL ARMARIO»

—¿No manifiestan los europeos una aceptación mayor que otros de los homosexuales?

—¿Mayor que quién? ¿Que los países musulmanes? ¿Que Estados Unidos? ¿Sabe que el movimiento del orgullo gay comenzó en Estados Unidos y que en ese país muchos gays, hombres y mujeres, han declarado que eran homosexuales y sin embargo estaban tan integrados en el *establishment* como cualquiera? Han intentado casarse en Hawai, el estado más tolerante de Estados Unidos.

No creo que se pueda decir —o que sirva de algo decir— que ser gay se acepta mejor en un país que en otro, más en Europa que en Estados Unidos, por ejemplo. Si se trata de los gays «declarados» que se ven en la política y en situaciones públicas, los hay a ambos lados del Atlántico. Es destacable que en 2001 París haya elegido a un alcalde homosexual, aunque nunca trató este aspecto durante la campaña electoral. El alcalde de Berlín también es homosexual. Es un hecho notable, algo que nadie habría creído posible hace apenas unos años. Hace diez o quince años, un político que manifestaba su homosexualidad...

—... *estaba políticamente muerto.*

—Exacto. Sin duda, siempre ha habido homosexuales en el sector público y las empresas, pero esta información se ocultaba al público. J. Edgar Hoover, ex director del FBI, llevó durante mucho tiempo una existencia homosexual. El que espiaba a los presidentes, los políticos y las estrellas del cine para hacerles confesar o someterse a su política conformista estaba «casado» con otro hombre y practicaba lo que muchos llamarían «perversiones sexuales», como llevar ropa interior femenina en privado. El antiguo alcalde de Nueva York durante los años setenta, Edward Koch, también vivía una existencia homosexual. Los medios de comunicación lo sabían, pero nadie decía nada. Asimismo, ha habido y hay muchas lesbianas que ejercen funciones semejantes, pero siempre con gran discreción sobre su vida privada. Además, es difícil para una mujer ser soltera en puestos públicos elevados: homosexual o heterosexual, es preferible que una mujer esté casada.

—*A su entender, las mujeres homosexuales son menos aceptadas por la sociedad que los hombres...*

—Las mujeres permanecen marginadas. Del mismo modo que hay pocas mujeres en los puestos más elevados, hay pocas lesbianas en esas funciones, al igual que pocas mujeres heterosexuales solteras. Margaret Thatcher y Madeleine Allbright han sido consideradas siempre mujeres casadas. Hay algunas excepciones: la directora de Unicef no está casada, ni tampoco Condoleezza Rice, asesora de Seguridad Nacional en el gobierno de Bush. Mary Robertson, ex presidenta de Irlanda y responsable del Departamento de Derechos Humanos de Naciones Unidas, es soltera. Pero, en general, las mujeres que acceden a funciones públicas deben declararse sexualmente «decentes, casadas» y, de preferencia, madres.

—¿*Son siempre marginadas las mujeres en el universo gay?*

—Sí. Existe un movimiento fuerte y visible entre los hombres gays para promover el derecho a amar a una persona del mismo sexo. Comenzó con las salidas del armario de Stonewall en Nueva York, después prosiguió con el impulso de los activistas gays en torno a la epidemia de sida. Los hombres siempre han sido más visibles que las mujeres y, por lo tanto, cuando se habla de derechos, se hace referencia sobre todo a ellos. Por desgracia, en la mayoría de las organizaciones de activistas homosexuales, se tiene tendencia a poner a los hombres arriba y a las mujeres debajo (secretarias, ayudantes, jamás escuchadas como dirigentes de la organización), como en las estructuras del mundo heterosexual.

En general, las mujeres son más vulnerables a toda clase de exclusiones sociales; proclamarse públicamente homosexuales puede poner en peligro su puesto de trabajo mucho más que cuando se trata de un hombre. Es importante que las mujeres se muestren y testimonien su orgullo de estar juntas. Las mujeres son poco visibles en las actividades del orgullo gay y los lugares homosexuales, y se ven más parejas masculinas que femeninas en la calle, aunque según las estadísticas hay tantas mujeres gays como hombres. Las lesbianas representan alrededor del 15 por 100 de la población, y sin embargo son casi invisibles.

—¿*Tienen más dificultades que los hombres para asumir su homosexualidad?*

—Digamos que pueden ser particularmente vulnerables a los sentimientos de duda y de falta de confianza en sí mismas. Soportan la doble carga de ser mujeres y gays. Temen tanto ser castigadas por sus relaciones con otras mujeres, que numerosas lesbianas se esfuerzan en volverse invisibles, mucho más que los hombres, lo cual no puede ser bueno para el bienestar psicológico, la identidad y la confianza en sí mismas. Esta tendencia es lamentable, aunque resulte comprensible, e impide a muchas mujeres de todas las edades tener la oportunidad de ver que existen otras posibilidades.

LA SEXUALIDAD LESBIANA

Según mis investigaciones, la «naturaleza» sexual de la mujer no es específicamente heterosexual ni lesbiana, aunque hay que señalar que las mujeres aprecian los largos momentos de excitación y de orgasmo entre ellas. Su «naturaleza» sexual parece tener múltiples facetas.

—*¿Está sugiriendo que todas las mujeres tienen tendencias lesbianas? Acaba de decir que las homosexuales representan el 15 por 100 de las mujeres.*

—Es cierto: alrededor del 15 por 100 de las mujeres del mundo experimentan placer al hacer el amor con otra mujer o mantienen una relación sexual con una mujer. El 5 por 100 son bisexuales y tienen relaciones tanto con hombres como con mujeres. La mayoría de las que declaran preferir a las mujeres nunca se han acostado con un hombre. Afirman tener la impresión de haber «nacido así», mientras que otras dicen haber descubierto su inclinación al salir con una persona del sexo femenino, en el colegio o más tarde.

En dos de mis investigaciones he descubierto que las mujeres divorciadas de más de cuarenta años estaban el doble de dispuestas a intentar o comenzar una relación con otra mujer que cuando tenían veinte años. La mayoría de las cuarentonas y cincuentonas han declarado haber encontrado una gran felicidad en sus relaciones íntimas con otra mujer. Han señalado que los hijos suelen creer a su madre cuando les explica: «Solo somos dos amigas que viven juntas». Otras mujeres les han dicho: «No hagáis preguntas», y algunos niños no parecen molestarse. Más rara vez, otras mujeres afirman: «Al principio, me ha resultado difícil mostrar mi nuevo yo, pero han acabado por comprenderlo y aceptarlo. Creo que ha sido más fácil para ellos que para mí».

—¿*Pero cada vez hay más lesbianas?*

—La homosexualidad es una elección que las mujeres consideran legítima cada vez más, aunque siga suponiendo estigmas sociales y administrativos en forma de restricciones en el campo de la maternidad, subvenciones para la vivienda y herencia. En comparación con mis investigaciones de los años setenta, las efectuadas en varios países al final de los años noventa muestran que el número de mujeres que se declaran lesbianas parece haber aumentado, tal vez en razón de la presencia y la participación pública más marcada de las mujeres en el mundo en general.

Pero no deja de ser cierto que la mayoría de las lesbianas prefieren no revelar su vida privada en público o en su lugar de trabajo. Además, algunas mujeres viven una relación no sexual, pero no desprovista de intimidad física, experimentando así nuevos modos de vivir juntas.

Numerosas lesbianas critican la imagen que transmiten de ellas los medios de comunicación. ¿Por qué, por ejemplo, se muestran mujeres haciendo el amor juntas en la pornografía? En el imaginario masculino, las dos mujeres «se dan placer», pero finalmente lo que quieren es un pene, que un hombre se les una. No es una imagen pertinente de la sexualidad lesbiana.

—¿*Qué hacen las mujeres juntas en el plano sexual que sea tan extraordinario?*

—La diferencia es que no hay una manera tradicional y codificada de proceder. Por lo tanto, la sexualidad puede ser tan inventiva y personal como las personas que se entregan a ella. Las diferencias más marcadas con respecto a la sexualidad heterosexual son que hay más afecto, sensibilidad y... orgasmos. El acto sexual dura generalmente mucho más, se aprecian más los preliminares, no existe la presión para llegar al orgasmo o la penetración. Las relaciones lesbianas se sirven del conjunto de la sensualidad del cuerpo, puesto que un orgasmo no es sinónimo del fin del deseo. Juntas, las mujeres tienen orgasmos con mayor frecuencia y de diferentes maneras.

En las mujeres, la homosexualidad también puede asumir un significado político. Algunas ven en ella un símbolo del hecho de que toman a las otras mujeres en serio, tanto como los hombres; las ven como posibles parejas, sin miedo a la etiqueta de lesbianas, sino sintiéndose orgullosas de estar con otra mujer.

—*Así pues, ¿no existe la menor dificultad?*

—Sí. Pero no es un problema sexual, sino relacional. Para muchas lesbianas, el reto más difícil es tener la suficiente confianza en sí mismas para creer en la durabilidad a largo plazo de su relación, puesto que no hay estructuras sociales o jurídicas como el matrimonio para formalizarla.

—*Pero para los hombres eso tampoco es el infierno. Tranquilícenos...*

—Según mis investigaciones, los hombres gays suelen sentirse menos satisfechos físicamente que las lesbianas, aunque habitualmente orgasmen juntos. Entre los hombres, hay menos besos en los labios y, en general, el acercamiento es más rudo. También aparece un residuo de la ideología de la penetración heterosexual: si uno penetra al otro, se convierte en el miembro de la pareja dominante, y el otro, en el «enculado», con todas las consecuencias psicológicas que conlleva (dominación/sumisión). En otras palabras, siempre están presentes ciertas posturas de la simbología sexual, más que entre las mujeres gays. Los hombres siguen siendo sensibles a los estereotipos masculinos sobre la virilidad, que les incitan a ser *duros* y *fríos* y, en materia sexual, más predadores que románticos.

En resumidas cuentas, mucha gente, y no solo los gays, podría utilizar la sexualidad lesbiana como un buen modelo para replantearse la manera de emplear su cuerpo y de practicar la heterosexualidad.

8
EL ORGULLO DE SER MUJER

—*Es usted una feminista que no tiene pinta de serlo, sin ánimo de caricaturizar a las feministas. ¿Cómo lo concilia con su mensaje? Algunos podrían ver en ello una contradicción...*

—¿Qué aspecto tiene una mujer de edad media o de edad madura? Me gustaría adelantar algunas ideas nuevas sobre este tema. Por toda suerte de razones, tenemos representaciones bastante negativas de la apariencia de las mujeres cuando atraviesan la cuarentena o la cincuentena, y también de su indumentaria. Es un poco como si vivieran su edad de oro cuando tienen treinta años, admitiéndose que después hay un declive inexorable... No estoy de acuerdo con estos clichés, y es uno de los temas que intento elaborar: ¿qué significa ser mujer y tener cuerpo de mujer? Al mismo tiempo, en distintas etapas de mi vida, he tratado de ver de diferentes maneras tanto mi cuerpo como lo que me pongo.

A veces se tiene la impresión de que las mujeres deberían vestirse como hombres para estar liberadas, una estrategia que, señalemos de paso, no ha mejorado su posición financiera. La idea de que el hecho de llevar ropa de hombre simboliza una forma de liberación para la mujer se remonta a George

Sand, que tuvo que ponerse un nombre masculino para conseguir que la publicaran, y continuó con Marlene Dietrich, a quien se vio vestir un esmoquin de hombre en una película, anticipándose al traje de chaqueta femenino de Yves Saint-Laurent. Era una actitud que se justificaba y que creaba un espacio mayor para que respiraran las mujeres, en una época en la que las feministas llevaban pantalones para mostrar simbólicamente el valor y la importancia de las mujeres, más allá de su cuerpo y de sus papeles tradicionales de cuidadoras. Yo también me vestí de ese modo durante parte de mi vida: quería manifestar que rechazaba los símbolos tradicionales que representaban la manipulación de que eran objeto las mujeres —que debían ser guapas para los chicos, o dóciles— y de ese modo mostrar solidaridad con las demás. Pero hoy me gusta llevar cosas «femeninas». Me gusta mucho y creo que es importante desde un punto de vista político vestir los símbolos de la feminidad.

Asumir la feminidad es una opción política

—*El pantalón, entonces, ya no afirma nada...*
—En mi opinión, la idea de llevar pantalones para probar que se está liberada está anticuada. Después de todo, las mujeres se los ponen cuando quieren, para hacer la compra o para salir. Ya no representan como entonces una afirmación política (en la mayoría de los casos) contra la opresión de las mujeres. Hoy pueden llevar todo lo que quieren, todo lo que vaya con su estilo personal. Llevar el pelo largo y los labios pintados no significa de forma automática arreglarse para atraer a los hombres, puesto que a las demás mujeres también puede gustarles. No creo que el hecho de cuidar la apariencia pueda seguir criticándose como una «frivolidad»: esta actitud

se remonta a la Iglesia medieval, para la cual la vanidad era uno de los siete pecados capitales, sobre todo para las mujeres, que debían limitarse a su papel de ayudantes del hombre, permaneciendo siempre modestas (sobre todo en su presencia). Lo que debería abolirse no es el interés por el arreglo, sino la dependencia económica de las mujeres.

—*¿Por qué sigue siendo importante este simbolismo?*

—Para mí, reclamar los símbolos de la «feminidad» es una manera de identificar al grupo por el que se trata de combatir. Si hubiera vivido en Alemania durante la Segunda Guerra Mundial y hubiera sido judía, ¿habría tenido que ocultar mi judaísmo? Del mismo modo, si soy mujer, ¿debería vestirme como un hombre, con un traje oscuro, y ocultar mi feminidad? ¿Tendría que esforzarme por borrar mi género y usar la simbología indumentaria de los hombres, pantalón, pelo corto? Y si lo hiciera, ¿sería valentía (tratar de vivir de una manera diferente) o miedo (de ser vista como una mujer)? Inconscientemente, podría estar ocultando mi feminidad en un envoltorio masculino.

Podría decir muchas cosas más, pero en general no respondo nunca a la pregunta que me ha planteado al principio, porque creo que mi punto de vista personal carece de importancia.

UNA SIMBOLOGÍA QUE SIGUE FUERTE: BELLEZA Y MODA

—*No estoy de acuerdo. Usted no es una desconocida. La gente tiene derecho a preguntarse: «¿Por qué esta mujer se viste así?».*

—Su pregunta me irrita un poco. ¿Sería entonces ilógico o contradictorio que me vista de manera femenina o incluso tener pinta de que me gusta mi cuerpo? ¡Como si una feminista que juzga inaceptable tratar a las mujeres como individuos de segunda clase debiera por ese mismo hecho esforzarse en no ser femenina! Soy mujer, soy feminista, así que ¿por qué debería esforzarme en ser «masculina» o distinta de lo que soy? Vestirse de manera femenina no es ilógico ni contradictorio: es un compromiso político.

—*¿Su manera de vestir simboliza la causa que defiende?*

—¡Acabo de responderle! En fin... Más allá del aspecto político, hay otras maneras de abordar la cuestión. Por ejemplo, sería fácil para mí decir: «Cada cual se viste como quiere». Eso es cierto, pero no soy tan ingenua como para ignorar el simbolismo de la ropa. Voy a darle una respuesta mucho más profunda...

Nosotras las feministas habíamos decidido no recurrir a los símbolos tradicionales de la feminidad porque pensamos (como muchas mujeres en los años setenta, yo misma no me depilaba las piernas ni me maquillaba y llevaba pantalones amplios y sueltos) que estos símbolos estaban «infectados» por los prejuicios de la sociedad acerca de las mujeres: la ropa disfraza a las mujeres de Barbie o de «símbolos dóciles de ama de casa». Pero durante mis estudios en la universidad me di cuenta de que la ropa masculina también ha evolucionado a lo largo de la historia. En Roma, hombres y mujeres llevaban toga; más tarde, los hombres de las clases obreras empezaron a llevar pantalones largos, mientras que en las clases acomodadas continuaron vistiendo medias, pantalones a media pierna y, en la parte superior del cuerpo, una prenda ajustada. Hasta el siglo XIX no se convirtió el traje en la única indumentaria aceptable, en el «uniforme» del occidental medio.

Vestidos de mujeres, valores de mujeres

La ropa es simbólica en el sentido de que revela la perte-
nencia a nuestro género, masculino o femenino, así como
nuestra posición social. En cualquier aeropuerto del planeta,
los aseos recurren a esos símbolos. Se encuentran los servicios
para damas gracias al pequeño personaje con falda, y los de
caballeros, por el hombrecillo con pantalones. Así pues, al llevar pantalón o falda, llevamos nuestro género. Por lo tanto, al
llevar mi ropa, ¿debería identificarme con un grupo o el otro,
o con ninguno de los dos? Quizá me diga que me visto de una
forma que se pasa de «femenina»...

—¡... no me atrevería!

—Es cierto, me gusta el rosa, el rojo y los tacones altos.
¿Pero por qué los colores «femeninos», las cintas y los enca-
jes han estado pasados de moda tanto tiempo? Su mala repu-
tación surgió sobre todo en los años sesenta y ha continuado
en los años noventa, cuando se suponía que las mujeres «con-
cienciadas» no debían llevar más que un traje sastre unisex
con pantalón negro y zapatos bajos para ir a la oficina a me-
dirse con los hombres. En cuanto a la barra de labios y el
maquillaje, les cayó mal de ojo en la Edad Media, cuando la
Iglesia pretendía que las mujeres no tenían alma —solo los
hombres la poseían— y que las «marcas de vanidad» en una
mujer podían significar que era un «instrumento del diablo».
Manteniendo estos prejuicios religiosos, en el siglo XX y fina-
les del XIX, la ciencia ha retomado numerosos de estos temas
para introducirlos en categorías «psicológicas» —una buena
parte de la psicología trata del comportamiento conveniente
de hombres y mujeres—, aplicando etiquetas seculares a las
mujeres rebeldes (que no permanecían en su lugar en casa o
que no se quedaban quietas) y diagnosticándolas como «tras-
tornadas psicológicamente» u otros calificativos del mismo

género. No obstante, en la actualidad, después de tres décadas de cuestionamiento, las mujeres demuestran que pueden pensar por sí mismas y ya no tienen miedo de esos puntos de vista. En resumen, no era más que la herencia de las concepciones de la Iglesia y la ideología.

Sin duda, el hecho de vestirse de manera femenina ha estado mucho tiempo asociado con las «malas costumbres»: el mundo estaba dividido entre las madres y las prostitutas, y solo estas últimas se pintaban los labios...

—*¿Y usted reivindica esas «malas costumbres»?*

—Si utilizo los símbolos de grupo más odiados es porque espero reivindicarlos dándoles un sentido positivo; en cierto modo, es mi manera de integrarme y de dar a conocer el significado de mis libros y las numerosas experiencias de mujeres que contienen. Es una forma de redescubrir «nuestra» experiencia de mujeres, y también estoy experimentando las diferentes maneras con las que nosotras, las mujeres, podemos apreciar nuestro cuerpo, y tal vez descubrir cómo podríamos vivirlo si nos desembarazáramos de los clichés que nos dictan lo que podemos y no podemos hacer.

Para expresarlo de otro modo, ¿cómo sabría lo que representa para mí la sexualidad si no puedo explorar todas las facetas de lo que constituye ser mujer? Apenas sabemos lo que podría ser la sexualidad femenina, porque vivimos en un mundo donde la sexualidad está predefinida, incluso controlada, a pesar del porno y el sexo libre.

—*¿Por la sociedad, la cultura?*

—Sí; la simbología sexual femenina es poderosa, política. En Irán, en los años ochenta, se utilizó el símbolo de la minifalda occidental para lograr que a las iraníes les gustara llevar chador. En Afganistán se emplea el chador de una forma semejante para aislar a las mujeres del mundo de los hombres y de la política (también ha tenido como consecuencia que las occidentales se sientan separadas de las mujeres árabes).

Para las mujeres, la pregunta que se plantea hoy es la siguiente: ¿vestirse como los hombres o como siempre lo han hecho, jugando con los colores, los tejidos y las joyas? No existen símbolos neutros; como se ha visto, todos los estilos de vestir, en cierto modo, están marcados sexualmente. Sin duda, los hombres también podrían ponerse a llevar vestidos. Pero, tradicionalmente, la simbología del pantalón siempre ha sido masculina, mientras que la del vestido y la falda ha sido femenina. Para las feministas del siglo XIX, la falda era un instrumento de opresión porque hacía a las mujeres vulnerables: era una invitación a los hombres para tocar la anatomía íntima... Después, al final del siglo XX, hubo el gran debate sobre la violación, que acabó llevando a varios gobiernos y sus sistemas judiciales a reconocer que acusar a la víctima de una violación de ser responsable por su forma de vestir era equivocarse de diana. Si se plantea la pregunta: «¿Pero por qué llevaba una falda tan corta?», se esboza en cierto modo la ecuación de que una mujer que se viste corta legitima ipso facto el deseo del hombre. Al hacerlo, se le niega a la mujer el derecho a vestirse como le plazca —después de todo, es su cuerpo— o a utilizarlo como el símbolo poderoso que es, si ese es su deseo. Como hemos afirmado las feministas, no hagamos a la víctima responsable de la violación a causa de lo que viste. El mismo análisis se aplica a la cuestión actual del acoso sexual.

¿CONDICIONAMIENTO O POLÍTICA?

En el curso del siglo XX se ha ejercido presión sobre las mujeres para que adopten el estilo de escritura de los hombres, su manera de ser, sus actitudes, etc. La ecuación en vigor era la siguiente: «Los hombres son seres humanos naturales, mientras que las mujeres han sufrido un condicionamiento; si se desembarazan de él, recuperarán la misma naturaleza que los hombres y, en consecuencia, se volverán tan duras y competitivas como ellos». Esta lógica olvidaba una cosa: el comportamiento de los hombres también es fruto de un condicionamiento. Sostengo que los hombres, en su mayoría, no manifiestan una naturaleza humana muy «natural», sino que han sido condicionados para comportarse como hombres, de la misma manera que lo han sido las mujeres para hacerlo como mujeres. Sí, hay diferencias biológicas entre hombres y mujeres, pero la forma en que los seres humanos se expresan en la psicología y la conducta está en buena medida condicionada por la tradición y la presión del grupo.

Una parte importante de mis investigaciones trata del desarrollo de la psicología masculina como resultado de la cultura.

—*¿Y por qué se interesa por la educación y la psicología de los niños y los hombres?*

—Espero que el hecho de desvelar el misterio de la forma en cómo se crea dicha psicología en los niños pueda contribuir a la paz del mundo, porque responde a la cuestión de saber por qué tantos hombres parecen desear la guerra y el combate. ¿Tiene relación con la naturaleza o con una parte de un sistema que podemos cambiar? Mis trabajos demuestran que forma parte de un entramado creado por la sociedad: podemos modificarlo e influir sobre lo que hoy creemos que se debe a la «inevitable naturaleza humana».

Mi trabajo sobre el tema comenzó en 1974 y desembocó en 1981 en la publicación del *Informe Hite sobre los hombres;* siguió durante los años ochenta y noventa hasta la publicación del *Informe Hite sobre la familia,* y ha continuado hasta hoy.

—*Pero me interesaría saber lo que piensa de la forma de vestir femenina y la belleza...*

—Los símbolos tradicionales de la feminidad no deben significar la sumisión de la mujer, aun cuando estén ligados históricamente. La ropa femenina encarna en parte el conjunto de valores que han creado las mujeres, un sistema que vale la pena, marcado por la comunicación, la empatía y la cooperación, la atención a los detalles, la humildad, la inteligencia positiva y la valentía, entre otras cualidades descritas en libros como *In Her Own Voice,* de Carol Gilligan, o *Mujeres y amor,* mi investigación publicada en 1988. Como me parecen buenas, aunque ciertas cualidades «masculinas» tengan fama de ser más profundas, desearía alentarlas. Por eso me gusta utilizar los «viejos» símbolos femeninos, como parte integrante de mis esfuerzos para perpetuar estos valores. Pero no se debería deducir que asumo una forma de sumisión o de temor ante los hombres.

—*No se me ha pasado por la mente... [Risas.] ¿El hecho de llevar ropa de hombres es imitarlos?*

—Pasa que las mujeres que llevan ropa de hombre pregonan un mensaje implícito del tipo: «Soy como los tíos» (genial, ¿no?). Entonces se podría caer en la tentación de decir: «Si las mujeres se comportan como hombres en el trabajo, avanzaremos sin obstáculos» (se sobreentiende: si dejan de ser tan femeninas, o sea, tontas...). O incluso: «Si las mujeres se visten como los hombres, todo irá bien». Es evidente que todo esto es falso. Las mujeres han llevado ropa de hombre en el lugar de trabajo durante los años ochenta y noventa, pero no han logrado obtener sueldos iguales a los de ellos, según las estadísticas recientes de la Unión Europea, y no siempre están representadas equitativamente en las posiciones dirigentes. Por esta razón, el Parlamento francés ha votado recientemente las leyes sobre la paridad en la función pública.

Durante todo un periodo, se han burlado del comportamiento de las mujeres, y ellas mismas han contribuido, porque habíamos aprendido las mismas cosas que los niños. Para la mayoría de la gente, ser romántica era una tontería; las mujeres estaban «obnubiladas por el amor», los comportamientos femeninos eran estúpidos, y para que las mujeres descubrieran el mundo moderno y nuevo debían dejar de ser frívolas. ¿Pero cómo se hace para no ser «frívola»? «¡Sé dura como un tío!». Creo que, en parte al menos, la ropa ha integrado este ataque inconsciente contra lo que eran las mujeres y quienes eran.

Ni cambiar de forma de vestir ni ocultar su cuerpo

—*¿Cómo llegar a la igualdad, entonces?*

—No creo que cambiar de forma de vestir sea la solución al problema: como grupo social, siempre se considerará que las mujeres actúan en la categoría de mujeres, lleven lo que lleven. No pretendo condenar a las que usan vestidos, ese no es mi objetivo; pero me gustaría subrayar que la ropa ancha, que se podría equiparar con una especie de chador occidental, es para las mujeres una manera de expresar un malestar en relación con la visión que la sociedad tiene de sus cuerpos.

—*Por lo tanto, las mujeres no van a avanzar por su forma de vestir. ¿Tendrán más suerte con dirigentes mujeres excepcionales?*

—No es seguro. Ninguna estadística muestra que las estrellas conduzcan de manera clara a un aumento de la presencia de mujeres en los diferentes campos, aunque puede ayudar.

Lo que creo es que la discriminación contra las mujeres no será vencida diciéndoles que dejen de llevar ropa «frívola» u ordenándoles que se conviertan en militantes. Es necesario que reivindiquen su propia herencia (como han hecho los negros en Estados Unidos en los años sesenta, proclamando *«black is beautiful»* cuando todo el mundo pensaba lo contrario). Las mujeres deben estar orgullosas de todo lo que es femenino. Del mismo modo que los negros han expresado: «¿Dices que el negro es estúpido, feo y todo eso? Pues yo digo: *Black is beautiful!»*. Y yo, a mi vez, digo: *«Female is beautiful!»*.

EL CUERPO «ACEPTABLE»

—*Así pues, no a los pantalones sueltos. ¿Las mujeres no deben ocultar sus cuerpos?*

—Pienso que cada mujer debería llevar lo que quiera. No deseo criticar a las mujeres. Llevar ropa de hombre y ocultarse dentro fue una estrategia legítima para entrar en el mundo del trabajo y las redes profesionales, y tal vez siga siendo el caso. Para algunas, la estrategia ha servido, aunque no haya desembocado en grandes victorias en cuanto a sueldo en comparación con los de los hombres. Según las estadísticas de la Unión Europea para el año 2000, las mujeres ganan del 20 al 30 por 100 menos que los hombres en toda Europa occidental, y no ha cambiado mucho desde los años noventa. Es un poco chocante, ¿no? Sea lo que fuere, era lógico que, como movimiento, intentáramos esta estrategia para combatir las discriminaciones en los puestos de trabajo y los ascensos profesionales; era una etapa por la que debíamos pasar y por la cual yo también he pasado. Usaba chándales amplios y otros trucos de ese tipo, y durante mucho tiempo no me depilé las piernas. Pero, después de todo, para mí era importante asumir símbolos de feminidad tales como la ropa cuyo objetivo no es ocultar o disfrazar el hecho de que tengo un cuerpo femenino, que para algunos, como los talibanes, es un objeto de odio (o tal vez de amor-odio). A veces mi actitud era un poco del tipo: «¡Muy bien, detestáis todo esto, no os gusta la forma de mi cuerpo; perfecto, pero a mí sí me gusta!».

Al actuar de esta forma, el problema es que se cae fácilmente en discusiones sobre la edad y el envejecimiento. Es cierto que la sociedad acepta con mucha mayor facilidad un cuerpo femenino de aspecto joven que el de una mujer marcada por sus maternidades y sus cincuenta años pasados. Es un tema complejo. Para resumir, diría que mi forma de vestir está directamente ligada con la voluntad de identificarme aún más con algo que es propio de lo femenino.

—¿*Cabría decir que para una feminista el hecho de «afear- se» es contraproducente en el sentido de que, en cierta forma, niega y rechaza lo femenino?*

—Las mujeres están en una situación delicada: si se niegan a «afear» lo femenino, vuelven a caer en el viejo debate sobre la belleza. Entonces algunos dirán, justamente: «Sabéis que todo lo que pensamos sobre la belleza es el resultado de un condicionamiento. Así que, si sostenéis que el cuerpo femenino es bello, ¿podríais imaginar que el cuerpo de una mujer de sesenta años también lo es?». La *Venus de Willendorf,* esa estatuilla de hace veinte mil años descubierta en Austria, representa a una mujer bella, pero algunos la consideran fea porque es muy gorda...

Se debe admitir que los modelos de belleza femenina están fijados por una cultura que es fundamentalmente hostil hacia las mujeres, o lo ha sido, al no garantizarles el acceso legal a la propiedad y la herencia, ni al trabajo y la educación, sin olvidar la paga y el respeto. Se puede admitir que la importancia del concepto de belleza para las mujeres (pero no para los hombres) es exagerado, que proviene de una tradición en la cual debían utilizar su cuerpo como argumento para lograr ser tratadas mejor; así, la belleza era una forma de hacerlas más «aceptables» (resulta sobre todo deprimente cuando se piensa en lo que han tenido que soportar a lo largo de la historia). Sin embargo, también son seres humanos que viven en su época y en su región, que desempeñan un papel en la cultura y la historia de esa región y que deben tener el derecho a utilizar los símbolos que consideren apropiados.

Otra manera de abordar esta cuestión consiste en decirse que solo se vive una vez y, por lo tanto, hay que sacarle el mejor partido. Para una mujer que vive en un entorno social y una época histórica determinadas, la elección de su forma de vestir y arreglarse va a influir en su calidad de vida. ¿Debería, pues, sentirse obligada a ser «políticamente perfecta»? Incluso en nuestros días, las mujeres pueden ofrecerse numerosos placeres en el estilo personal. Negarme a esos placeres (muchas de las cosas que hago y que llevo me recuerdan a mi abuela y a mi madre cuando yo era pequeña) supondría perder un poco de mi calidad de vida.

Le corresponde a cada mujer decidir dónde va a situar su identidad y dónde puede afirmarse mejor a ese respecto. Es un punto muy sutil y muchos tal vez no lo comprendan debido a la confusión de los símbolos.

LAS AMBIGÜEDADES DE LA BARRA DE LABIOS

Para algunos fundamentalistas islámicos, la manera de vestirse de algunas mujeres se ha convertido en el símbolo de «lo malo de ese Occidente de costumbres disolutas». En Teherán se ha podido ver en un museo de arte una exposición que mostraba minifaldas occidentales contra las cuales «en su gran sabiduría, el gobierno protegía a las mujeres iraníes».

A sus ojos, que una mujer vaya de tiendas, compre ropa, productos de maquillaje y barra de labios es el símbolo por excelencia de lo superficial y vulgar; se presenta a las mujeres bajo la forma de clichés hirientes como avariciosas y superficiales, acompañado todo de comentarios sobre el número de pares de zapatos que poseen.

Esta política contra la barra de labios no es exclusiva de los círculos fundamentalistas; se puede encontrar también, por mucho que extrañe, en los ambientes vanguardistas. Tengo dos amigas en Londres que vivían en pareja. Las dos se pintaban los labios. Una de ellas se quejaba a menudo: «Cada vez que voy a una reunión de mujeres gays, soy la única que llevo los labios pintados y nadie me dirige la palabra... Desconfían de mí porque parezco demasiado femenina». En mi opinión, eso se asemeja a un comportamiento gregario: la gente se desestabiliza por la presencia de una persona que no se amolda al comportamiento de los demás, y en general la rechaza. No se trata de establecer la ecuación simplista «barra de labios igual a afirmación de mi belleza». No se ajustaba al grupo. Su otro pecado era utilizar un símbolo de belleza-sexualidad femenina. Aunque se sostenga que los símbolos de la belleza son creaciones sociales, ¿no debía haber tenido derecho a utilizar los que le gustaran?

¿HA DICHO BELLEZA?

Todo este debate gira en torno a una pregunta difícil: ¿qué es la belleza para las mujeres? ¿Es importante para ellas? ¿Representa una manera de decir algo positivo sobre la esencia femenina o sirve para dar poder a los que quieren dividir a las mujeres para conquistarlas, separando a las «bellas» de las «no bellas» para aislar a las «deseables»? Si, como afirman los análisis feministas, ha sido definida por los hombres, ¿qué hemos de hacer las mujeres si queremos decidir por nosotras mismas esta cuestión?

—*¿No sería necesario que la belleza fuera definida por los hombres y las mujeres juntos?*

—Dígame cómo hacerlo...

—*No lo sé. Pero no estoy seguro de que sea tan difícil.*

—Les corresponde a las mujeres elaborar una definición de la belleza femenina, no a los hombres. Ahora bien, son los hombres los que han decidido sobre esta cuestión, llegando a establecer la categoría de mujeres bellas, con el resultado de dividirlas y ponerlas unas contra otras desde hace muchísimo tiempo de una manera muy hiriente para ellas. Durante siglos, fue privilegio de los hombres elegir una mujer, las mujeres no podían ganarse la vida, etc. En este sistema, la belleza era manifiestamente un concepto opresivo, esclavizador. Pero, de forma paralela, se ha convertido en un símbolo de apreciación de la mujer, de su derecho a tratarse bien, a cuidarse, a alimentarse y alcanzar su plenitud.

En otras palabras, durante los siglos en los que las mujeres solo tenían su cuerpo para mantenerse en la sociedad, para procrear o encontrar marido, el concepto de belleza era una moneda de cambio. Las mujeres ya no quieren ese sistema. No quieren jugar más a ese juego.

En el Neolítico y durante mucho tiempo, la belleza femenina se definía por un cuerpo más pesado, con grandes caderas, muy alejado del aspecto demacrado que constituye hoy el canon de belleza y feminidad (que algunos denominan «estilo Auschwitz», en referencia a los deportados que los nazis dejaban morir de hambre en los campos de la muerte). Pensemos en la *Venus de Willendorf* de la que ya hemos hablado, en algunas esculturas griegas, en las carnosas sirenas de Rubens e incluso en las heroínas de las películas de los años cuarenta y siguientes (Marylin Monroe, Sofía Loren...), estrellas cuyas formas generosas se alejan del ideal femenino contemporáneo.

Esta «belleza» de esbeltez y delgadez que representa a la «mujer que desaparece», haciéndose su cuerpo cada vez más tenue..., ¿va a terminar por evaporarse?

Esta moda ha provocado una verdadera epidemia de anorexia, condenada por las organizaciones de salud pública como una amenaza creciente para la salud de las chicas jóvenes.

—*Se podría decir, con cierto cinismo, que de todas formas la definición de la belleza no nos pertenece: es el monopolio de los agentes publicitarios, la industria cinematográfica y la pornografía...*

—Hay que confirmar que las opiniones y las implicaciones en este campo son múltiples. Por ejemplo, se puede pensar que la sociedad (los agentes publicitarios) concede demasiada importancia a la juventud y la delgadez, hasta provocar la anorexia y a veces incluso la muerte en algunas chicas. Sin embargo, irónicamente, el campo de la belleza y de la moda es uno de los varios en los que hoy se debaten y mantienen vivos los valores femeninos.

—*Si se trata de diálogo entre hombres y mujeres, ¿no piensa que un hombre hablará de mejor grado con una feminista femenina que con, digamos, una feminista de la línea dura en cuestión «look»?*

—Pero sería un error por su parte pensarlo, ¿no?

—*De acuerdo, pero hay que reconocer que eso no ayuda.*

—Perdón. Yo no quiero desempeñar el papel de la que ayuda. Y no creo que las mujeres deban tener la obligación de estar guapas solo para que los hombres se sientan más a gusto... La época en la que las feministas exigían a los hombres que les concedieran igualdad de derechos ha pasado.

Del clítoris a lo universal: tantas nuevas pistas

—*Cuánto camino hemos recorrido desde el comienzo. Hemos partido del orgasmo para llegar a lo universal...*

—Al comienzo de nuestra conversación hemos puesto el acento en el clítoris y el orgasmo femenino. Después, por círculos concéntricos, hemos acabado hablando de toda la sociedad. Ello se explica por el hecho de que la definición y el ejercicio de la sexualidad femenina son elementos centrales de nuestra estructura sociocultural. Si se admite que la mayoría de las mujeres conocen el orgasmo gracias a una forma u otra de estimulación clitoridiana, es preciso poner en tela de juicio un gran número de los conceptos más sagrados sobre el acto, sobre lo que supuestamente son los hombres por naturaleza y sobre lo que son las mujeres. En su sentido más profundo, la sexualidad está ligada con la paz en el mundo, y nuestra discusión también lo está con lo que podría ser un nuevo sistema internacional de valores, integrándose todo en una visión renovada de lo que somos en cuanto especie en este planeta y de lo que hacemos con nuestras vidas.

Para las mujeres, ha llegado el tiempo de gozar de los derechos que han ganado —en el plano sexual, en el orgasmo y la autonomía sobre su propio cuerpo, pero también en formación y acceso al poder—, trabajando en una utilización aún más creativa de la «perspectiva femenina». Cuentan con los medios para remodelar la sexualidad, la política y las relaciones internacionales. Nosotras las mujeres tenemos las herramientas necesarias y debemos utilizarlas con valentía.

Conclusión

Sexualidad y política

—*Siempre une sexualidad y política. ¿Tienen realmente algo que ver entre sí?*

—Actualizar las reglas ocultas que nos impone «la buena manera de hacer el amor y obtener placer» es el mejor medio de comprender la construcción de todo el sistema social. He ahí por qué el mismo hecho de comprender la ideología que se oculta detrás de la sexualidad ayudará mucho a los individuos y a la sociedad a llegar a ser más igualitarios, menos agresivos, más pacíficos. Una nueva sexualidad forma parte de una nueva política de salud planetaria, de una nueva política del medio ambiente, de las posturas de la globalización y la antiglobalización, y de la paz.

Lo que propongo es una revisión del sentido de la sexualidad, que se acompaña de un nuevo análisis de los derechos de las mujeres y de los hombres en este campo. ¿Cómo puede conocer un individuo el sentido original de la sexualidad? Cuando era pequeño, ¿cuáles fueron sus primeros pensamientos sexuales? ¿Cómo se sintió, en relación con su sexualidad, la primera vez que conoció el orgasmo? Trate de acordarse... ¿Nos sería posible hoy redescubrir esas primeras emociones con toda su originalidad y desprogramar nuestro cerebro para construir una nueva sexualidad basada en lo que esos sentimientos olvidados tienen que decirnos?

Esta nueva comprensión de la sexualidad que está surgiendo hay que ponerla en relación con un nuevo sistema de valores, una imagen aún vaga de lo que somos como especie sobre este planeta. La pregunta central de este nuevo sistema de valores —junto a los polémicos problemas ecológicos, del efecto invernadero y del despilfarro de los recursos naturales— sigue siendo la de la guerra y la paz: ¿por qué hay tantas guerras? ¿Es la guerra una consecuencia ineludible de la naturaleza humana? ¿Podríamos ser menos proclives a ella?

El hecho de decir que la sexualidad está ligada a la paz en el mundo no autoriza a pensar que «si la gente hace el amor más y mejor estará más satisfecha y, por lo tanto, pensará menos en la guerra». Aunque es indudablemente cierto y aunque el eslogan «Sexo, paz y amor» es bueno, la idea propuesta aquí es algo nuevo. Es que a través de los movimientos y los gestos del acto sexual la gente aprende cosas sobre los comportamientos de los dos sexos y la psicología que forma el sistema de pensamiento y credo. Si criticamos «lo que es la sexualidad» —lo que hacemos aquí—, podemos comenzar a vernos separados de esa ideología y, por consiguiente, inventar un porvenir mejor.

LA SEXUALIDAD Y LA PAZ

—*¿Cree que los hombres tienen ganas reales de «deconstruir» su sexualidad, aunque sea para inventar una mejor?*

—Al presentar un análisis radicalmente nuevo de la sexualidad masculina, he hablado de la pubertad de los niños [*Edipo crecido;* véanse caps. 2 y 3]. La construcción de la identidad sexual de los niños, en la pubertad y más adelante, se vuelve a encontrar en la identidad de los hombres ya adultos. Si se educa a los niños de manera que piensen que ser hombre es ser una «bestia» desde el punto de vista sexual y poderosos desde el punto de vista financiero, y que un «verdadero tío» es a la vez frío y duro —sin dejar de ser sensible—, es inevitable que, por ejemplo, cualquiera que no manifieste el debido respeto necesite «una buena lección» y que la reacción «justa» para un hombre sea una postura agresiva, no el diálogo. La creencia de que la «pulsión sexual» es un «mecanismo hormonal inevitable» en lo más recóndito de los hombres sostiene todo este sistema, asegurando que son agresivos por naturaleza y deben ser dominantes, que la dominación y el mando son inherentes a la psicología masculina.

En mi tesis, afirmo que las presiones ejercidas sobre los niños por el entorno —la programación del pensamiento— producen una sociedad excesivamente militarizada. Estos condicionamientos están injustificados y pueden cambiarse desde el momento en que se identifican (como he hecho aquí), lo que quebraría una de las causas principales de las guerras contemporáneas, grandes y pequeñas: las que se declaran cuando se rompe el diálogo... Comenzar a deconstruir la sexualidad masculina es, pues, hacer dos cosas: ofrecer más placer y espacio a los hombres como individuos, y ayudar a la sociedad a desarrollar una mentalidad global más pacífica.

La mayoría de la gente se pregunta hoy cómo debería pensar en la sexualidad en su vida privada. También interesan los debates apasionados en torno a la sexualidad, tales como el aborto, la igualdad, las cuotas, el acoso sexual, el uso del velo y el chador, considerados «necesarios para que la mujer exprese modestia y humildad» —lo opuesto de la minifalda—, los tráficos de mujeres, las violaciones durante las guerras (como en Bosnia, Chechenia y Ruanda), entre otros temas, como la vida sexual del ex presidente Clinton.

Muchos temen tener fantasías que no son políticamente correctas y a menudo no logran que sus deseos sexuales entren en el marco ético que creen justo. Redescubrir su sensibilidad sexual no significa que se deba llegar a ser «puro» o políticamente correcto. Nuestras discusiones deberían ayudar a quienes desean aclarar sus opiniones e inventar para sí mismos una nueva clase de sexualidad.

UNA NUEVA VISIÓN DE LA SEXUALIDAD

—*¿Hasta dónde hay que ir para reinventar la sexualidad?*
—Sin duda, ya es un cierto mérito ponerla en tela de juicio. Ha sido una institución opresiva para las mujeres y para los hombres [véanse caps. 1 y 2]. Hoy puede convertirse en la afirmación personal de un extenso vocabulario sensual y sexual a disposición de los individuos y que no veje los derechos de las mujeres ni de los hombres. Reinventar la sexualidad pasa por un recorrido por preguntas esenciales: ¿qué quieren las mujeres?, ¿qué quieren los hombres?, ¿se trata realmente de las caricaturas del deseo que se ven en las revistas porno?

Algunos pueden creer que «si los hombres comprendieran mejor el orgasmo femenino, la sexualidad sería perfecta»; pero, aunque ya estaría muy bien, los cambios que sugiere la nueva teoría desarrollada en el curso de nuestras discusiones y reproducida en este libro van mucho más lejos. Para comenzar, numerosas mujeres quieren dar a los intercambios sexuales una dirección profundamente nueva, no siendo dominantes, sino poniendo el acento sobre el descubrimiento de lo que les gusta e implicando a sus parejas en esta postura, en lugar de sacrificar su autonomía y desempeñando el papel que se espera de ellas, esclavizadas a una ideología anticuada, en la que no había más elección que pasividad o dominio, coito o abstinencia...

En el plano sexual, la mayoría de las mujeres desean llevar la sexualidad a un ámbito completamente nuevo, transformarla, soñar con su pareja o con la persona que amen de una manera diferente, planear juntos en una especie de éxtasis sin fin... Sin embargo, a menudo se dan cuenta de que no lo logran, de que hay una barrera en mitad de su camino. ¿Será la vieja institución de la sexualidad, los clichés de los que hablo? En este momento de la historia es un poco como si las mujeres se hubieran parado un instante para respirar, para descansar, antes de continuar desarrollando su realidad interior y exterior, antes de impulsar al mundo, y a ellas mismas, en nuevas direcciones.

<s.hite@hite-research.com>